MARABOUT *INFORMATIQUE*

Afin de vous informer de toutes ses publications, marabout édite
des catalogues régulièrement mis à jour. Vous pouvez les obtenir
gracieusement auprès de votre libraire habituel.

Les collections informatiques sont dirigées par
Ghéorghiï Vladimirovitch Grigorieff

BIELU

SOS Internet

SOMMAIRE

Introduction

Internet ! Ce réseau des réseaux dont l'existence remonte à la fin des années 60, époque à laquelle les militaires américains le développaient sous le vocable Arpanet, n'est réellement entré dans nos chaumières que ces trois dernières années et avec lui, une cohorte d'aficionados et de détracteurs.

Basé sur le principe de l'interconnexion de réseaux, il rassemble sous la même bannière des ordinateurs aussi différents que des stations Unix, Macintosh ou PC, pour ne citer que les plus connus. A cette évocation, surgissent immédiatement une foule d'images représentatives des mille et un problèmes que peut générer l'interconnexion de ce matériel disparate. De fait, tout ne va pas sans mal. Entre les sirènes que sont les fournisseurs d'accès et les Cassandre qui vous prédiront heurs et malheurs, la réalité de l'Internet est sans doute à mi-chemin.

Passée une phase de configuration qui, aujourd'hui, s'est considérablement simplifiée, Internet offre ses richesses à qui le veut mais n'est jamais vraiment fiable. Beaucoup ont évoqué la possibilité d'un écroulement du réseau, écroulement qui devrait être dû à une saturation, elle-même liée à une fréquentation sans cesse croissante. Jusqu'à preuve du contraire, ces oiseaux de mauvais augure se trompent. Il est vrai qu'aux heures de pointe, surfer sur le Web est plus pénible que d'attendre le métro Barbes-Rochechouart ; il est vrai que télécharger la énième version d'Internet Explorer ou de Netscape Communicator vaut quelques crises de nerfs ; il est vrai aussi que le téléchargement d'un e-mail dont l'une des pièces jointes pèse plus d'un mégaoctet est une épreuve tout aussi éprouvante. Malgré cette lenteur, Internet reste viable. Ce qui est plus gênant, c'est l'ignorance dans laquelle on se trouve lorsqu'un message d'erreur apparaît sur l'écran. Derrière un message tel que " le serveur ne répond pas ", peuvent se cacher pas mal d'explications. Lorsqu'on les connaît, les angoisses s'estompent. C'est à cette tâche ardue que s'attelle ce livre. En quelque 260 pages, il tentera de répondre aux problèmes les plus fréquemment rencontrés par les surfeurs de tout poil.

Il est évident qu'il nous est impossible de faire le tour de tous les problèmes rencontrés sur Internet. Chaque configuration, chaque modem, chaque programme peut engendrer ses propres erreurs. Potentiellement, il existe donc des milliers de problèmes susceptibles d'handicaper une machine. Notre démarche a consisté à répertorier les problèmes les plus classiques rencontrés par le surfeur.

Notre livre se décompose en sept chapitres. Le premier traite de la terminologie propre à Internet et sans laquelle il vous sera difficile de solutionner vos problèmes. Le second reprend le paramétrage type d'une connexion à Internet. Ce paramétrage est décrit pour le PC sous Windows 95 et pour le Macintosoh sous Mac OS 7.6.

Le troisième chapitre reprend les principaux problèmes rencontrés lors de la phase de connexion avec le fournisseur d'accès. Y sont notamment abordés les déconnexions intempestives, l'impossibilité de se connecter et les problèmes de lenteur de la connexion. Le quatrième chapitre est consacré aux problèmes de surf dont les plus classiques sont l'impossibilité de se connecter à un site précis, ou celle de trouver une page particulière. Le cinquième chapitre se consacre au courrier électronique, tandis que le sixième chapitre se penche sur le téléchargement de fichiers. Un reliquat de questions a été placé dans le dernier chapitre. Ses questions portent sur les Newsgroups, les listes de diffusion et l'IRC. Elles sont peu nombreuses dans la mesure où ces services, même s'il rencontrent un véritable engouement, ne sont pas les services les plus populaires. Que le passionné de ces services nous en excuse. La place nous faisant défaut, il fallut faire des choix.

Chapitre 1

SOS terminologie

La terminologie absconse, les acronymes brumeux ne sont pas propres à la seule informatique. Chaque spécialité développe son propre langage. Mais il faut bien avouer qu'Internet gagne le gros lot. Sur la trentaine de mots développés ici – les plus courants –, plus des deux tiers sont des acronymes. Impossible de ne pas les définir. D'autres termes seront explicités au fur et à mesure dans le livre. Ceux au côté desquels apparaît un astérisque sont définis ici.

Baud : souvent confondu avec l'acronyme bps (bits par seconde), le baud représente la rapidité de modulation. Il correspond au nombre de changements d'état du signal par seconde. Selon la modulation, il est possible d'envoyer plusieurs bits en un seul baud. Sur une ligne téléphonique permettant une vitesse de modulation de 2.400 bauds, il est ainsi possible de transmettre jusqu'à 28.800 bits par seconde (bps).

Bps (bits par seconde) : il s'agit du taux de transfert mesuré en bits. Comme son nom l'indique, il s'agit du nombre de bits transmis par seconde. A ne pas confondre avec le Cps (caractères par seconde). Pour être transmis, un caractère nécessite 10 bits (8 bits de données, 1 bit de début, 1 bit d'arrêt).

CCITT (Comité Consultatif International des Télégraphes et Téléphones). Ce comité est chargé d'émettre des avis normalisant le mode de transmission de l'information en matière de télécommunications.

CTS (Clear To Send) : il s'agit du signal émis par un modem indiquant qu'il est prêt à transmettre. On rencontre spécialement cet acronyme dans le domaine de contrôle de flux matériel (RTS/CTS).

DCE (Data Communication Equipment) : il s'agit de la vitesse de transmission que l'on peut atteindre entre deux modems. Cette vitesse est liée à la norme CCITT supportée par le modem (V32, V34, etc.).

DMA (Direct Access Memory) : mécanisme permettant à certains périphériques (carte son, contrôleur de disquette) un accès à la mémoire sans passer par le microprocesseur.

DNS (Domain Name System) : système de dénomination des sites sur Internet. Répondant à une syntaxe de type thorin.francenet.fr, dont l'avantage est d'être plus significative que l'adresse IP qui est, elle, sous forme numérique : [193.149.100.1]. Comme le routage entre serveurs se fait à partir de l'adresse numérique, il faut une liste de correspondance entre les adresses numériques et les noms de domaines. C'est un serveur de noms de domaine qui garde cette liste en mémoire.

Un nom de domaine va du plus spécifique au plus général, chaque terme étant séparé par un point. Le plus à droite est l'abréviation du pays (.fr, .be, .ca) ou le type de site (.edu (éducation), .com (commercial), .gou (gouvernemental)). A gauche de cette abréviation, se trouve le nom du site serveur (francenet, qui est également le nom du fournisseur d'accès), puis vient le nom du sous-réseau ou de l'ordinateur individuel.

DTE (Data Terminal Equipment) : il s'agit de la vitesse de communication entre un modem et le CPU de l'ordinateur. Cette vitesse est également dénommée vitesse de port. Pour des performances optimales, la vitesse du DTE doit être quatre fois supérieure à la vitesse DCE. En effet, dans un cas idéal, les normes de compression permettent au modem de compresser les informations qui lui arrivent en provenance du CPU dans un rapport de 1 sur 4. Si votre modem peut émettre en DCE à 28 800 bps, la vitesse DTE doit être de 115 200 bps.

E-mail (Electronic mail) : il s'agit du transfert par voie électronique d'un courrier. Le réseau utilisé pour transmettre le courrier peut être un réseau local ou un réseau mondial tel qu'Internet, utilisant différents supports de base tels que le réseau téléphonique, les réseaux câblés, etc.

Firewall : il s'agit de l'association entre serveur et des logiciels destinée à protéger le réseau contre une atteinte extérieure (virus, etc.).

FTP (File Transfer Protocol). Il s'agit d'un protocole de transfert de fichiers entre un serveur et l'ordinateur appelant. L'interface qui vous est donnée à voir s'inspire de l'arborescence des disques durs. Le principe de téléchargement y est simple. Sélectionnez un fichier et demandez à votre navigateur ou à un logiciel spécialisé dans le téléchargement FTP de le télécharger. En général, les fichiers sont compressés. Soit, ils sont autodécompactables ; ils se terminent alors par les trois petites lettres " exe ". Un double-clics suffit pour qu'ils se décompressent eux-mêmes. Soit, ils sont " zippés " avec un utilitaire tel que PKZip ou WinZip que l'on trouve partout en shareware (http://www.winzip.com/).

Gif (Graphic Interchange Format) : format graphique mis au point par Compuserve pour échanger des images bitmap compressées. La méthode de compression est LZW (Lempel-Ziv-Welch). Un fichier à l'extension .gif ne peut coder que 256 couleurs. C'est son format réduit qui a fait sa réussite sur Internet.

Gopher : l'ancêtre du Web puisqu'il s'agit du premier programme ayant autorisé une structuration claire des informations disponibles sur Internet en hiérarchisant les dossiers et les sous-dossiers. Les sites Gopher ont presque totalement disparu au profit des sites Web.

HTML (HyperText Markup Language) : langage utilisé pour présenter les pages sur le Web. Il est basé sur le mécanisme de l'hypertexte où les mots et les objets sont des balises renvoyant vers d'autres mots ou vers d'autres objets (images, sons, vidéo, etc.). La dernière mouture en date de ce standard HTML est la version 3.2. Mais tous les navigateurs ne sont pas capables de gérer les pages obéissant à ce standard. Des sharewares tels que Trawler ou Ariadna, ou les anciennes versions de MS Internet Explorer 2.0 et de Netscape Navigator 3.0 ne peuvent en gérer tous les aspects. Par bonheur, lorsqu'une commande ou un objet inconnu se présente au navigateur, il se contente de l'ignorer.

IMAP4 (Internet Message Access Protocol) : standard de communication destiné à la lecture et à l'envoi de courrier électronique. Le standard IMAP4 destiné à remplacer le standard POP apporte quelques améliorations notables quant à la conservation des messages sur le serveur de mail et, surtout, quant à leur chargement par le destinataire qui dispose dorénavant de plusieurs critères de sélection, au lieu du quasi-binôme " je télécharge mes messages ou je ne les télécharge pas ".

IP (Internet Protocol) : protocole de base pour le fonctionnement d'Internet. Les messages sont décomposés en paquets qui circulent entre les différents serveurs, jusqu'à arriver à leur destination.

IRC (Internet Relay Chat) : protocole de communication autorisant les conversations en temps réel à travers Internet.

IRQ (Interrupt Request) : ordre de priorité autorisant un périphérique à interrompre les actions du processeur afin de signaler à ce dernier qu'il a également besoin de ses ressources. Chaque périphérique doit avoir un numéro d'IRQ différent. 16 numéros d'IRQ doivent être partagés entre tous les périphériques. Plus le numéro de l'IRQ est proche de 0, plus la priorité accordée à ce périphérique est grande.

Java : langage de programmation conçu par la société Sun et basé sur le C++ (un autre langage de programmation). Ce langage permet de programmer des applications que l'on appelle des applets Java. Ces applets permettent d'enrichir le Web de fonctions supplémentaires. Les Java Scripts forment un outil de programmation permettant de réaliser des applets Java sans écrire une seule ligne de code.

Masque de sous-réseau : le filtre qui décompose l'adresse Internet en ses trois parties. Ces trois parties sont l'adresse du réseau, celle du sous-réseau et celle du noeud de réseau, lequel est le plus souvent, celle d'un prestataire de service. Cette information est généralement fournie par le fournisseur d'accès afin de permettre une configuration correcte de la connexion à Internet.

Moteur de recherche : une énorme base de données renvoyant vers d'autres sites et qui fonctionne grâce à un outil de recherche. Ce dernier analyse cette base de données en fonction des critères que vous saisissez afin de vous trouver une liste d'adresses susceptibles de vous intéresser.

Nom de domaine (voir DNS).

Page de liens : une page répertoriant d'autres adresses de sites. Il suffit de cliquer sur une adresse intéressante pour s'y rendre.

Plug-in : petit logiciel qui vient se greffer sur un autre plus important afin de lui ajouter des fonctions supplémentaires ou augmenter les performances globales.

POP (Post Office Protocol) : protocole de courrier électronique permettant la récupération des messages placés sur un serveur TCP/IP. Le serveur POP est indissociable de son confrère SMTP qui, lui, reçoit le courrier expédié avant de l'envoyer sur le serveur POP.

Port : point d'entrée et de sortie sur un ordinateur. Il est soit série (les bits passent par le câble à la queue leu leu), soit parallèle. Les bits sont transmis par paquets de 8, chacun utilisant un fil pour être convoyé. On en déduit rapidement que le port dit " parallèle " est plus rapide que le port " série ". Le premier est généralement utilisé par une imprimante, le second par la souris ou le modem.

Porteuse (en anglais : carrier) : onde modulée destinée à la transmission d'une information. On parle de modulation de fréquence, d'amplitude ou de phase. On peut combiner ces modulations du signal. En matière de communication, la porteuse doit être suffisamment puissante pour être distinguée du bruit de fond émis par les lignes de communication.

PPP : Point to Point Protocol. Protocole de communication permettant de se connecter à Internet grâce à un port série et à un modem.

RTC (Réseau Téléphonique Commuté). Notre bon vieux réseau téléphonique qui utilise la commutation – une sorte d'aiguillage – pour diriger les appels.

RTS (Request to Send) : signal émis par un ordinateur pour signaler qu'il est prêt à émettre.

Serveur : centre informatique composé d'un ou de

plusieurs ordinateurs et offrant un service à ses abonnés. Ces derniers entrent généralement en connexion avec le serveur via le réseau téléphonique. Le type de service offert peut être simplement l'accès à Internet, mais aussi la mise à disposition de banques de données auxquelles n'ont pas accès les non-abonnés.

Site : un endroit où se trouvent des informations accessibles par Internet. Les informations peuvent être structurées sous forme hypertexte (un clic sur un objet relié à un autre renvoie à cet autre objet) ou plus simplement sous la forme classique représentant l'arborescence d'un disque dur.

SLIP (Serial Line Internet Protocol) : protocole de communication permettant la connexion à Internet via le port série et un modem. Moins puissant que le protocol PPP, SLIP ne permet pas la compression des données, ni la détection des erreurs de transmission.

SMTP (Simple Mail Transfer Protocol) : en matière de courrier électronique, serveur destiné à recevoir le courrier expédié. Ceci fait, le serveur SMPT le redirige vers un serveur POP ou IMAP4 où le destinataire des messages pourra venir les rechercher.

TCP/IP (Transmission Control Protocol/Internet Protocol) : l'ensemble des protocoles de communication en réseau utilisés par Internet. Cet ensemble de protocoles est indépendant du logiciel comme du matériel. Il fonctionne donc aussi bien sur Unix que sur Mac ou sur PC. TCP/IP est une collection de protocoles autorisant les connexions directes (Telnet), le transfert de fichiers (FTP), le courrier électronique (SMTP) ou les listes de nouvelles (NMTP).

Trumpet Winsock : logiciel de communication permettant au PC tournant sous Windows 3.1 ou sous Windows 95 d'établir une connexion à Internet.

Wais : (Wide Area Information Servers) : programme de recherche utilisé sur Internet aux fins de consulter de grosses banques de données.

Web : abréviation de World Wide Web. Il s'agit de la partie multimédia d'Internet, celle où se côtoient le texte, le son, les images et la vidéo. Cette partie d'Internet utilise le langage HTML, des applets Java ou des ActiveX pour afficher les données.

Chapitre 2

La configuration
de la connexion

Il n'y a pas quarante-cinq méthodes pour configurer une connexion à Internet, c'est donc par cela que nous commencerons. Les deux plates-formes pour lesquelles nous évoquerons cette configuration de la connexion seront le PC sous Windows 95 et le Macintosh.

Nous reprendrons ensuite l'essentiel des problèmes rencontrés sous la forme suivante :

• Symptômes.

• Explications.

• Remèdes.

L'installation d'une connexion à Internet se déroule en trois étapes. La première consiste à s'adresser à un fournisseur d'accès à Internet également appelé provider. La deuxième réside dans l'installation du modem et de la partie «logiciel» qui vous permettra d'entrer en communication avec votre fournisseur d'accès. La troisième étape consiste à faire en sorte que votre ordinateur parle un langage compréhensible sur Internet.

❏ LE FOURNISSEUR D'ACCÈS

Pour mieux comprendre le rôle du fournisseur d'accès, une petite digression s'impose. Le réseau des réseaux est constitué d'une nuée d'ordinateurs de types différents qu'on appelle serveurs. Très schématiquement, on peut dire que ce sont ces serveurs qui abritent les informations dont vous avez besoin et dont l'expression la plus connue est formée par les sites Web. Il n'est évidemment pas nécessaire que tout le monde ait un serveur. S'il ne fallait qu'une raison pour justifier cette assertion, je vous dirais que la mise en place d'un serveur coûte cher et demande pas mal de boulot. Ces derniers regorgent de logiciels et de données telles que la liste de tous les serveurs connectés à Internet. Vous, particulier, qu'avez-vous à faire de ces informations ? Rien. Ce n'est probablement pas votre métier et cela n'entre sans doute pas dans le cadre de vos compétences. C'est la raison pour laquelle ont surgi les fournisseurs d'accès. Ils sont les points d'entrée au réseau Internet. Ce sont eux qui se coltinent tous les problèmes techniques ; ce sont eux qui louent des connexions à haut débit aux opérateurs de télécommunications ; ce sont eux qui gèrent les logiciels de sécurité qu'on appelle les firewalls* ; ce sont eux qui mettent à votre disposition une boîte aux lettres pour vos e-mails ; ce sont eux qui disposent sur leur ordinateur de banques de logiciels que vous pourrez télécharger ; ce sont encore eux qui développent un contenu spécifique. Cette race particulière dépense énormément d'argent pour réaliser toutes ces tâches. Avec un seul espoir, celui de vous convaincre d'utiliser leurs services et leurs compétences. Ils arrivent généralement au point où nous sommes suffisamment nombreux pour que leur entreprise devienne rentable. Tiens, donc. Cependant, personne n'est le dindon de la farce. Car pour une somme fort modique, nous bénéficions d'un canal d'entrée à l'Internet que nous ne pourrions supporter si nous étions obligés de tout mettre en œuvre nous-mêmes.

✓ *Les informations que vous donne le fournisseur d'accès à Internet*

Pour pouvoir accéder à Internet vous devez d'abord entrer en communication avec votre fournisseur d'accès ; pour ce faire, vous devez le contacter par voie téléphonique à moins que vous ne soyez connecté de manière permanente à son serveur via le câble, auquel cas, les informations qui suivent deviennent superflues. Dans le cas d'une connexion par voie téléphonique, un certain nombre de paramètres deviennent nécessaires :

- Un *numéro de téléphone* à contacter. Ce dernier, composé par votre modem, vous mettra directement en contact avec le serveur du fournisseur d'accès.

- Un *login*. Il s'agit d'une séquence de caractères qui vous identifiera de manière unique auprès de votre fournisseur d'accès.

- Un *mot de passe*. Histoire que personne ne vienne surfer à votre place.

- Une *adresse e-mail*. C'est à cette adresse que l'on pourra vous écrire électroniquement.

- Un *nom de domaine*. Ce dernier étant généralement l'adresse web du serveur du fournisseur d'accès (exemple : francenet.fr, arcadis.be, etc.).

- Une *adresse IP*. Ce paramètre n'est que rarement livré par le fournisseur d'accès car il signifie que vous bénéficierez vous-même d'une adresse permanente sur Internet. Tout comme vous disposez d'une adresse au sein de votre commune et de votre rue. Chose assez rare.

Cette adresse IP s'écrit sous deux formes : soit en mentionnant le nom du site (exemple : thorin.francenet.fr ou mail.skynet.be) ou par la valeur numérique correspondante [193.149.100.1]. S'il vous en attribue une, votre fournisseur d'accès doit toujours vous fournir l'adresse IP sous sa forme numérique.

• Deux *adresses DNS* (Domain Name Server). Ces deux adresses sont les adresses numériques des serveurs de votre fournisseur d'accès. Que sont-elles ? Simple : un code numérique de 10 chiffres identifiant un serveur au sein du réseau Internet.

• Un code spécifiant le masque de sous-réseau. Cette bébête n'est autre qu'un filtre séparant une adresse Internet en ses trois parties : adresse réseau, adresses du sous-réseau et adresse du nœud, cette dernière étant généralement celle du fournisseur d'accès. Ce paramètre est rarement requis.

Sans ces paramètres, il vous sera impossible de configurer correctement votre connexion au réseau.

❏ CONFIGURATION DE LA CONNEXION SOUS WINDOWS 95

C'est généralement avec le modem que les choses se corsent. Beaucoup de problèmes viennent de là : lenteur, coupure intempestive, etc.

Le modem, c'est le sésame ! Cet appareil transforme les informations provenant de votre ordinateur afin de les rendre compatibles avec le réseau téléphonique, lequel, conçu pour transporter la voix, ne comprendrait goutte aux informations numériques émanant de votre ordinateur. Et pour cause. Au lieu d'un signal analogique de type continu, évoluant sans cesse et prenant l'allure d'une courbe sinusoïdale, il est confronté à l'émission de séquences de 0 et de 1 qui sont pour lui un bruit sans signification. Le premier travail du modem consiste donc à moduler l'onde pour la faire correspondre aux données binaires à transmettre. A la réception, l'appareil démodule le signal continu et le retransforme en données numériques.

✓ *Connecter le modem à l'ordinateur*

1. Modem, câble et ordinateur...

Aujourd'hui, la plupart des modems achetés par des particuliers sont des modems externes. Notamment, parce qu'ils sont plus faciles à installer que les cartes-modems internes. Tout modem neuf répond aujourd'hui au standard Plug and Play. En clair, cela signifie que lorsque vous le connectez à l'ordinateur, ce dernier (s'il est également Plug and Play) le reconnaît et installe le pilote nécessaire pour gérer le modem. Plus besoin de fixer des paramètres aussi abscons qu'un canal DMA* (Direct Access Memory) ou qu'un IRQ* (Interrupt Request). Pour savoir si vous venez d'acquérir une de ces cartes, il suffit de rechercher l'inscription PnP sur la boîte ou dans le manuel. Dans ce cas, un circuit spécial du modem est capable de déterminer le numéro IRQ adéquat en fonction des informations que lui livre le système.

2. Le fil rouge sur le bouton...

A l'arrière du modem sont placées deux prises RJ-11. Elles permettent de relier le modem à la prise téléphonique murale et au combiné. La prise *Line* doit relier le modem au réseau téléphonique. La prise *Phone* permet de brancher un téléphone sur le modem.

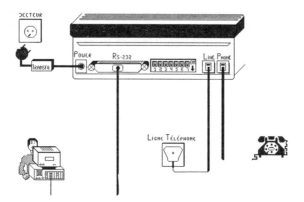

Figure 1 : la liaison des différents câbles au modem.
(illustration : B. Frala)

3. Déclarer le modem

Si votre modem est d'un modèle récent, sa connexion à l'ordinateur sera aussitôt détectée par l'ordinateur. Windows 95 en reconnaîtra le type et les paramètres. Contentez-vous de confirmer le choix réalisé par le système d'exploitation. Ce choix doit normalement résulter en l'apparition d'un nouveau module *Modems* dans le *Panneau de configuration*.

Si Windows 95 vous laisse tomber et qu'il refuse de reconnaître le modem. Il faut lui forcer la main.

- Ouvrez le *Panneau de configuration* et double-cliquez sur l'icône *Ajout de périphérique*.

- Cochez la case *Non* pour choisir le type de matériel à installer. Passez de suite à la seconde fenêtre en cliquant sur le bouton *Suivant*.

- Dans la fenêtre suivante, cliquez sur *Modem*, puis sur le bouton *Suivant*.

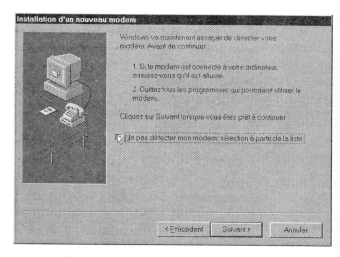

- A ce stade, cochez la case *Ne pas détecter mon modem*. Dans le cas contraire Windows 95 repartirait dans une vaine recherche du modem puisqu'il n'a pas été capable de le détecter au démarrage.

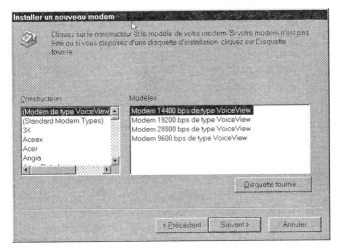

- Dans la colonne de gauche, choisissez le constructeur. Dans celle de droite le type de matériel se rapprochant le plus de celui que vous venez d'acquérir.

- Si le modem ne correspond à aucun modèle de la liste, choisissez le modem de type standard dans la colonne de gauche et la vitesse la plus proche dans la colonne de droite. La première version de Windows 95 n'intégrait pas les pilotes les plus récents. Vous ne trouverez donc pas les vitesses 33600 bps et 56 kbps.

- Ceci étant, le constructeur doit avoir livré des disquettes avec le modem. C'est sur ces disquettes que se trouve le pilote gérant le modem. Sans ce pilote, pas de modem. Insérez la disquette et cliquez sur le bouton Disquette fournie. Cette commande a pour effet d'ouvrir la boîte de dialogue suivante :

Installer à partir de la disquette

Insérez le disque d'installation du constructeur dans le lecteur sélectionné, et cliquez sur OK.

OK

Annuler

Copier les fichiers constructeur à partir de :

A:\

Parcourir

- Contentez-vous de valider. Windows 95 recherchera le fichier au format .inf qui doit normalement résider sur la disquette. C'est dans ce fichier nom_du_modem.inf que se trouvent les informations relatives à l'installation du modem et à sa reconnaissance par Windows 95.

- L'écran suivant est relatif au choix du port de communication, la porte par laquelle transite l'information. Lorsque votre modem est externe, il vous faudra choisir le port de communication *Com2*. Si vous installez une carte modem, un nouveau port aura normalement été créé lors de l'insertion de la carte dans l'un des bus d'extension. Dans ce cas, le port de communication qu'il vous faudra choisir est le port *Com3*. Terminez cette opération en validant vos choix.

- Windows 95 termine alors l'installation par un écran de félicitations.

4. Déclarer un nouveau port à Windows 95

Cette quatrième étape est facultative. Elle concerne les cartes-modems. Le problème ne se rencontre que dans le cas où le port *Com3* n'aurait pas été créé automatiquement après insertion de la carte dans le bus d'extension du PC et le lancement de l'ordinateur. Comment le constate-t-on ? Simplement en activant le module *Système* du *Panneau de configuration*. Vous devez alors cliquer sur l'onglet *Gestionnaire de périphériques* et trouver l'intitulé *Ports (COM & LPT)*. Double-cliquez sur cet intitulé. Si l'intitulé *Port de communication* (COM3) n'apparaît pas, vous devrez déclarer ce nouveau port à Windows 95. Implicitement, ceci signifie que votre carte-modem est un vieux modèle car toutes les nouvelles cartes-modems sont automatiquement reconnues. Dans cette triste éventualité, déclarez ce nouveau port de la manière suivante.

- Ouvrez le *Panneau de configuration* et double-cliquez sur l'icône *Ajout de périphérique*.

- Cochez la case *Non* pour choisir le type de matériel à installer.

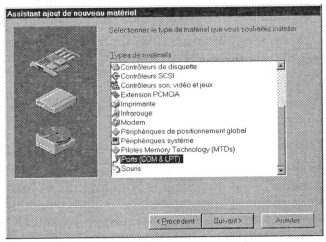

- Dans la fenêtre suivante, cliquez sur *Ports (COM et LPT)* puis sur le bouton *Suivant*.

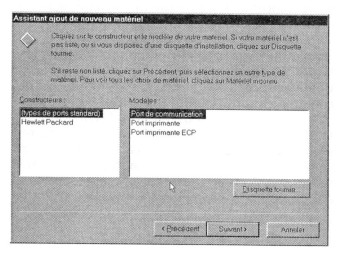

- Choisissez l'intitulé *(type de ports standard)* dans la catégorie *Constructeur*, puis *Port de communication*. Cliquez sur le bouton *Suivant*.

- La dernière étape illustre les valeurs (plage mémoire et IRQ) associées à ce nouveau port. Vérifiez que l'IRQ qui lui est attribué ne l'est pas déjà à un autre périphérique. Normalement, Windows 95 n'est pas crétin à ce point-là.

5. Tester le modem

Pour tester le modem, la meilleure manière de procéder est de demander à Windows 95 de récupérer des informations cachées à l'intérieur du modem. C'est l'un des aspects essentiels à vérifier

avant de vous ruer vers votre fournisseur d'accès.
En effet, si Windows 95 ne parvient pas à extraire
ces informations, c'est que la communication
entre l'ordinateur et le modem ne s'effectue pas
correctement. Plusieurs hypothèses peuvent être
émises. Soit les connexions de câbles ne sont pas
correctement placées, soit le modem n'est pas
allumé (ça arrive souvent), soit un problème phy-
sique altère le PC ou le modem. L'exemple le plus
classique est la soudure défectueuse...

Pour tester le modem :

- Double-cliquez sur l'icône *Modems* du *Panneau
  de configuration*.

- Dans la boîte de dialogue suivante, cliquez sur
  l'onglet *Diagnostics*.

- Sélectionnez votre modem, puis cliquez sur le
  bouton *Informations complémentaires*.

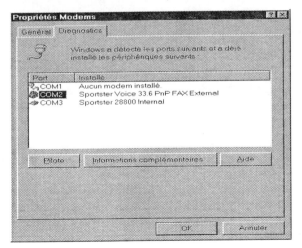

- Si le modem fonctionne correctement, Windows 95 affichera une fenêtre contenant les paramètres internes à l'appareil. Lorsque Windows 95 affiche un message indiquant qu'il n'a pas trouvé de modem connecté au port série choisi, vous vous doutez que, si les connexions sont correctes, c'est qu'il y a un problème. Ce problème peut être lié à un conflit de ressources, ou à un mauvais pilote…

Informations complémentaires...

Informations sur le port

Port :	COM2
Interruption :	3
Adresse :	2F8
UART :	NS 16550AN
Vitesse la plus élevée :	115K Baud

Sportster Voice 33.6 PnP FAX External

Identificateur : *USR0007

Comm...	Réponse
ATI1	OK
ATI2	OK
ATI3	OK
ATI4	USRobotics Sportster Voice 33600 Fax Settings...
ATI4	B0 E0 F1 M1 Q0 V1 X4 Y0
ATI4	BAUD=9600 PARITY=N WORDLEN=8
ATI4	DIAL=PULSE ON HOOK
ATI4	&A3 &B1 &C1 &D2 &H1 &I0 &K1
ATI4	&M4 &N0 &R2 &S0 &T5 &U0 &Y1

OK

✓ *Vérifier l'UART de votre ordinateur*

C'est dans cette boîte de dialogue que vous verrez apparaître un paramètre de grande importance : l'UART. De quoi s'agit-il ? En anglais, cet acronyme signifie *Universal Asynchronous Receiver / Transmitter*. Intraduisible ou presque. Il s'agit pourtant d'un circuit électronique qui autorise votre modem à dépasser la barre des 19 200 bps. Son existence est liée aux modes de transmission respectifs du processeur et du modem. Beaucoup plus rapide que le modem, le processeur transmet les paquets de données vers la sortie par groupe de 8 bits. Le hic, c'est que le modem connecté au réseau télé-phonique ne peut transmettre la transcription analogique d'un bit qu'à raison d'un seul bit à la fois. On comprend de suite qu'à cet endroit il doit nécessairement y avoir engorgement. Pour rédui-re cet engorgement on a inventé l'UART. C'est un véritable petit sergent capable d'obliger les groupes de huit bits arrivant du processeur à se ranger en file indienne vers la sortie, laquelle n'est autre que le port série (COM 2 ou COM3). Mais son rôle ne se limite pas à cela. Etant donné qu'il y a des informations arrivant de l'extérieur et des informations sortantes, l'UART s'est vu complété par deux tampons de stockage temporaires. Un pour les sortants, un pour les arrivants. Avec les anciens UART 8250 et 16540, les tampons en ques-tion ne pouvaient stocker qu'un seul caractère à la fois (8 bits). Dès qu'un caractère était dans le tam-pon, le processeur était interrompu par le port série. Celui-ci invitant celui-là à venir chercher le caractère en question. L'évolution technologique a rendu ce système trop lent. C'est la raison pour laquelle, on a mis au point l'UART 16550 dont les tampons peuvent stocker 16 caractères. Lorsque le tampon des arrivants est rempli, le processeur peut venir chercher les données. Lorsque le tampon des sortants est plein, l'UART les traite et les transmet au modem via le port série. Dans la mesure où 16 caractères sont traités à la fois, la vitesse de communication s'en trouve considérablement accélérée. Elle peut alors théoriquement atteindre 115 200 kbps par seconde. C'est alors le réseau téléphonique qui limite la vitesse de communication. C'est ce type d'UART de la série 16550 qui est nécessaire lorsque vous désirez travailler à 28 800 bps, 33 600 bps ou 56 kbps. Sinon, rien à faire, le transfert sera beaucoup plus lent.

Que faire si vous ne possédez pas le bon UART ? Rien de bien compliqué puisque ce chips est situé sur une carte d'extension qu'il suffit d'enficher dans l'ordinateur. On en vend à moins de 100 FF dans les boutiques informatiques. Si vous ne vous sentez pas à l'aise, apportez votre machine au revendeur. Il fera le nécessaire.

✓ Configurer votre modem pour l'ordinateur

1. Définir la vitesse de communication

Cliquez successivement sur le bouton *Démarrage*, sur les icônes *Panneau de configuration* et *Modems*. Windows 95 affiche la fenêtre *Propriétés Modems* qui renferme toutes les caractéristiques de l'appareil.

Sélectionnez votre modem et cliquez sur le bouton *Propriétés,* vous pourrez alors définir les paramètres de configuration.

Le menu déroulant *Vitesse maximale* permet de sélectionner la vitesse maximale à laquelle Windows 95 communique avec le modem. Un clic sur la flèche du menu affiche les différentes options : de 110 à 115 200 bps. Cela ne veut pas pour autant dire que votre modem atteindra 115 200 bps sur les lignes téléphoniques. La vitesse maximale autorisée par le réseau téléphonique commuté ne dépasse pas 56 kbps.

Encadré : 56 kbps

Depuis septembre 1996, il est possible d'atteindre la vitesse de 56 kbps sur le réseau téléphonique commuté. Cette technologie, développée par la société Rockwell, est appelée K56Plus. Quelque temps plus tard, U.S. Robotics développait une technologie concurrente dénommée X2 et offrant une même vitesse de communication. Un autre protocole de communication a également été développé par Lucent Technology[1], il s'appelait V.Flex2. Depuis, Lucent et Rockwell ont décidé de réunifier leur technologie sous le vocable : K56flex. A l'heure où j'écris ces lignes, l'UIT doit se prononcer pour établir la norme définitive qui s'inspirera de ces deux technologies.

Ces deux technologies ne permettent cependant pas une communication à 56 kbps dans les deux sens. X2 et K56flex n'autorisent que les communications asymétriques ; les canaux d'émission et de transmission étant différents. La vitesse théorique atteinte dans le sens serveur-utilisateur est de 56 Kbps alors qu'elle ne dépasse pas 33,6 kbps dans le sens utilisateur-serveur. Ces chiffres ne sont que théoriques. Les chiffres réels sont encore plus bas. En effet, les conditions de bon fonctionnement dépendent de la qualité de la ligne. Le bruit et autres parasites diminuent considérablement le taux de transfert de l'information. Selon un test américain réalisé en 1997, plus de 80 % des connexions s'effectuent à un transfert compris entre 40 et 50 kbps, avec près de 50 % des appels entre 45 et 50 kbps.

[1] Société créée par AT&T et dont le service de recherche et développement est les fameux Bell Laboratories.

2. Définir les paramètres d'appel

Cliquez sur l'onglet Connexion pour modifier les paramètres d'appel lors d'une connexion.

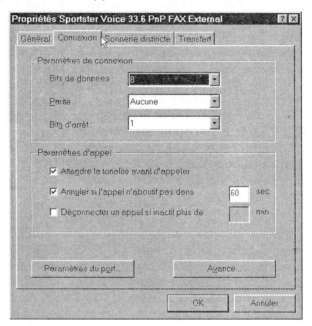

Les trois paramètres de base de la communication sont les valeurs apparaissant dans l'encadré *Paramètres de connexion*. Ils définissent la composition d'un paquet transmis sur le réseau. En France, en Belgique et en Suisse, ces trois paramètres sont usuellement : 8 bits de données, aucun bit n'est utilisé pour un contrôle de parité et 1 bit sert à marquer l'arrêt. Outre-Atlantique, les Américains utilisent encore de vieux systèmes où seuls 7 bits sont des bits de données et où 1 bit de contrôle est alors fixé sur une valeur impaire (Odd parity) afin de vérifier si l'ensemble des données a été correctement transmis. C'est ce qu'on appelle le contrôle de parité. Aujourd'hui que le contrôle d'erreurs est réalisé par les modems, ce paramètre n'est plus nécessaire.

✓ Les options

Cochez l'option *Attendre la tonalité avant d'appeler*. Les modems actuels sont en effet capables de détecter l'onde porteuse ou la tonalité d'une ligne téléphonique. Vous avez donc intérêt à cocher la case. Si le modem ne peut détecter la tonalité, essayez la connexion en ne cochant pas la case.

Cochez l'option *Annuler si l'appel n'aboutit pas dans* et spécifiez le temps d'attente en secondes après lequel Windows 95 annulera l'opération de connexion.

Cochez l'option *Déconnecter un appel si inactif plus de* et spécifiez la durée d'inactivité en minutes avant que le système ne coupe la communication.

➤ Attention :

Que ce soit avec Internet Explorer 4.0 ou Netscape Communicator 4.0, désactivez cette option si vous téléchargez régulièrement de gros fichiers. L'inactivité selon Windows est représentée par une absence de mouvement de la souris ou de saisie de caractères au clavier. Le téléchargement n'est pas assimilé à une activité, d'où rupture de la connexion après le délai déterminé et... interruption du téléchargement.

3. Définir les paramètres du port

Pour accélérer la vitesse de communication, une solution consiste à jouer sur les deux options *Tampon(s) reçu(s)* et *Tampon(s) transmis* de la fenêtre *Paramètres avancés du port*.

On y accède en cliquant sur le bouton *Paramètres du port* accessible dans la boîte de dialogue *Propriétés du modem*.

Ces deux tampons définissent le nombre maximum de caractères stockés dans les mémoires tampons. Plus leur nombre est proche du maximum, plus la transmission est rapide. En tout cas théoriquement car en définitive elle dépendra de la qualité de la ligne. Un modem à 28 800 bps, s'accommodera parfaitement de la valeur 14 pour les tampon(s) reçu(s) et de 16 pour les tampon(s) transmis. Si la ligne est de qualité, vous devriez atteindre le seuil enviable des 3 kilo-octets par seconde (kops). Sinon, la mauvaise qualité de la ligne induira un taux d'erreurs plus important ; il faudra retransmettre les caractères par groupes de 16, ce qui ralentit d'autant la transmission. Si votre ligne est mauvaise, privilégiez des valeurs plus basses.

Quant au terme FIFO, il signifie *First in*, *First Out* ou, autrement dit, premier dedans, premier dehors. La règle est donc simple : le premier caractère entré dans le tube est le premier à en ressortir.

4. Définir les paramètres avancés de la connexion

A. Le contrôle du flux

Lorsque le flux de données entre l'ordinateur et le modem est plus important que le débit autorisé par la ligne téléphonique, il y a engorgement. Il faut alors expliquer au processeur qu'il doit ralentir la cadence. C'est le contrôle des flux qui s'en charge. C'est le bouton *Avancés* de la fenêtre *Propriétés* du modem qui donne accès au paramétrage de ces différentes techniques. Outre le contrôle de flux d'informations, c'est également la correction d'erreurs et la compression de données qui sont gérées à partir de cet écran.

Cochez la case *Utiliser le contrôle de flux*.

Deux options sont disponibles :

• l'option *Matériel (RTS/CTS)*.

Le contrôle matériel s'effectue alors par un fil du câble série ou par une connexion du bus auquel le modem interne est relié. Le signal envoyé à l'ordinateur l'est beaucoup plus rapidement qu'avec la deuxième option.

• l'option *logiciel (XON/XOFF)*.

Cette deuxième méthode utilise des caractères spéciaux Ctrl-S et Ctrl-Q pour stopper ou reprendre une transmission de données entre le modem et l'ordinateur. Cette méthode est par conséquent plus lente que la précédente. Elle vaut pour les modems d'une ancienne génération (avant 1995).

B. Corriger les erreurs de transmission

Une communication par voie téléphonique est sujette à de nombreuses erreurs de transmission. Un peu de friture sur la ligne et vous voici avec des 1 qui se transforment en zéros à l'arrivée ou inversement. Différents protocoles de télécommunications assurent une transmission exacte des données, les paquets de données présentant une erreur étant tout bonnement retransmis.

Cochez la case *Utiliser le contrôle d'erreur* car, au cours d'une transmission, des bruits parasites peuvent venir perturber la ligne téléphonique et engendrer une réception de données erronées. Tous les modems actuels possèdent la particularité de pouvoir détecter et corriger ces erreurs.

C. Assurer la compression des données

Si vous disposez d'un modem récent, cochez l'option *Compresser les données*. Sans entrer dans les détails des protocoles de compression utilisés, sachez que tous les modems vendus depuis 1997 supportent les techniques de compression MNP (Microcom Network Protocoles) 4, 5 et 10. Ces techniques autorisent la transcription de 4 caractères en un seul, réduisant ainsi le volume à transmettre d'un facteur 4. Notez cependant que la compression devient inutile avec des fichiers déjà compressés.

D. Définir le type de modulation

L'opération qui consiste pour le modem à transcrire des données numériques en un signal analogique s'appelle la modulation du signal. Ce signal

varie alors en fréquence, en intensité et en amplitude. Si deux modems utilisent un type de modulation différent, ils ne se comprendront pas, le
second ne parvenant pas à reconvertir correctement le signal en données numériques.
Aujourd'hui, tous les modems utilisent un système
de modulation standard.

E. Spécifier la chaîne d'initialisation du modem

Chaque modem a ses qualités et ses faiblesses.
Pour accéder à ces qualités, il faut parfois indiquer
à Windows la manière d'y arriver. En outre, son
paramétrage par défaut peut réserver de désa-
gréables surprises découlant de la qualité des
lignes téléphoniques utilisées. Pour vous assurer
une meilleure fiabilité des liaisons, Windows 95 a
prévu la possibilité de spécifier une chaîne d'initialisation du modem. Dans cette chaîne d'initialisation apparaissent des commandes Hayes dont la
syntaxe est universelle. Elles permettent de com-
mander le modem.

Ces commandes Hayes doivent être saisies dans la
zone *Paramètres supplémentaires*. Bien qu'elles
commencent toujours par les deux lettres AT, il
n'est pas nécessaire de saisir ces deux lettres lors
de la saisie de la commande Hayes.

➤ *Exemples :*

Les exemples les plus classiques de paramétrages
sont généralement destinés à assurer une meilleure qualité de connexion au détriment de la vitesse. Les trois cas les plus classiques sont :

ATS0=1 : cette commande force le modem à décrocher automatiquement après une sonnerie.

ATS11=255 : cette commande force le modem à numéroter lentement.

ATS25=30 : pour mieux comprendre l'utilité de cette commande, il faut savoir que lorsque le signal de communication n'est plus assez fort, un certain paramètre dénommé DTR (Data Terminal Ready) se met en position OFF au sein du modem. Si après un certain délai il est toujours en position OFF, la connexion est interrompue. La commande ATS25= allonge le délai durant lequel le DTR peut être en position OFF sans que la communication soit interrompue. 30 centièmes de seconde est une durée peut-être exagérée mais le truc se révèle très efficace lorsque la qualité de la ligne est mauvaise.

➤ *Astuce :*

Lorsque des problèmes de connexion perturbent vos communications, cochez l'option *Enregistrer un fichier Journal*. Toutes les commandes envoyées et les données reçues seront enregistrées dans le fichier C:\Windows\modemlog.txt. En consultant ce document à l'aide du bloc-notes, vous déterminerez plus facilement d'où provient la panne.

Encadré : bits par seconde ou bauds

Il ne faut pas confondre taux de transfert et baud. Le premier correspond au nombre de bits transmis par seconde (bps). Le second représente le changement d'état du signal électrique par seconde. On parle alors de vitesse de modulation. A vitesse de modulation constante, le type de la modulation influe sur le nombre de bits transmis. Si l'état actuel des lignes du réseau téléphonique commuté n'autorise qu'une vitesse de modulation de 2 400 bauds, la modulation permet elle de transmettre plus de 12 bits par baud. Le taux de transfert atteint alors 28 800 bits par seconde (bps) et plus.

✓ Installer le protocole TCP/IP

Votre modem est désormais correctement connecté et configuré. Encore faut-il installer le protocole nécessaire à Windows pour qu'il soit capable de fonctionner sur Internet. Ce protocole est le très célèbre TCP/IP (Transmission Control Protocol / Internet Protocol). C'est au sein de cette pile qu'est contenu le langage (le protocole) qui permettra à votre ordinateur de parler le langage Internet et qui vous permettra donc d'accéder aux divers sites. Attention, ce n'est pas ce protocole qui vous permettra d'initialiser la connexion avec votre fournisseur d'accès, cette partie de la connexion étant prise en charge par l'Accès à réseau distant.

Comment installer le protocole TCP/IP ?

- Cliquez sur le bouton *Démarrer*, puis successivement sur les items *Paramètres* et *Panneau de configuration*.

- Double-cliquez sur le module *Réseau.*

• Cliquez sur le bouton *Ajouter*.

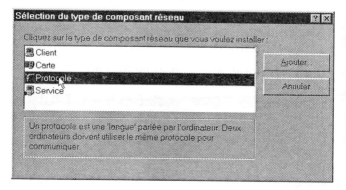

• Dans la boîte de dialogue de *Sélection du type de composant réseau*, sélectionnez *Protocole*, puis cliquez sur le bouton *Ajouter*.

- Dans la liste des constructeurs, choisissez *Microsoft*. Dans l'encadré placé en regard, sélectionnez l'item *TCP/IP*.

- Validez vos choix et relancez la machine.

➤ *Erreur classique !*

Si après avoir correctement défini votre accès à réseau distant, et après que votre ordinateur se soit correctement connecté au fournisseur d'accès, vous ne pouvez aller plus loin, c'est simplement que la pile TCP/IP est absente de votre configuration.

✓ *Configurer TCP/IP*

Le protocole est désormais installé, il resterait à le configurer pour autoriser la connexion à votre fournisseur d'accès. Comme nous l'avons signalé, plusieurs paramètres sont indispensables : adresse IP, nom de domaine du serveur et numéro de la passerelle. En réalité ceci n'est plus réellement nécessaire car un autre outil se charge de gérer la connexion : l'accès à réseau distant. Nous y reviendrons. En attendant, comprendre la configuration de la pile TCP/IP n'est sûrement pas superflu. Encore une fois, elle passe par le *Panneau de configuration*.

- Cliquez sur le bouton *Démarrer*, puis successivement sur les items *Paramètres* et *Panneau de configuration*.

- Double-cliquez sur le module *Réseau*.

• Dans l'onglet *Configuration*, cliquez sur *TCP/IP*, puis cliquez sur le bouton *Propriétés.*

1. Onglet Adresse IP

• Sélectionnez aussitôt l'onglet *Adresse IP*.

• Généralement, c'est le serveur qui vous fournit automatiquement une adresse IP, dans ce cas activez l'option Obtenir automatiquement une adresse IP.

- Si votre fournisseur d'accès vous a donné une adresse IP permanente inscrivez-la ici. Elle s'inscrit sous le format numérique suivant : 194.78.42.1

- Le masque de sous-réseau est toujours le même : 255.255.255.0

➤ *Remarque :*

Chaque ordinateur connecté à Internet est identifié par une adresse Internet ou, autrement dit, par une adresse IP. Ce numéro est composé de 4 octets, chacun séparé par un point. 8 bits permettant de coder des nombres allant de 0 à 255, l'adresse IP ne pourra donc jamais dépasser les valeurs 255.255.255.255. Du moins tant que l'adresse sera sur 32 bits.

2. Onglet configuration DNS

Cliquez sur l'onglet configuration *DNS* (Domain Name Server), puis sur l'option *activer DNS*.

- En regard de l'intitulé *Hôte*, vous pouvez donner un nom qui identifiera votre ordinateur auprès de votre fournisseur d'accès. Ceci est facultatif.

- En regard du *Domaine*, vous pouvez inscrire le nom du domaine auquel appartient votre ordinateur (ex. mon_group.com). Ceci est également facultatif.

• Sur Internet, les adresses des serveurs (fournisseurs d'accès) sont organisées par domaine symbolisé par les deux ou trois dernières lettres de l'adresse (com, edu, int, net, org, mil, gov). Lorsque vous donnez une adresse quelconque à votre navigateur (http:/www.microsoft.com), celle-ci parvient à votre fournisseur d'accès qui dispose d'un serveur de nom, c'est-à-dire d'un serveur établissant la correspondance entre le nom logique tel que celui de notre exemple et son adresse IP numérique (ex. 194.178.94.01), celle utilisée entre machines. Ce serveur de nom dispose également d'une adresse IP, c'est cette adresse (donnée par votre fournisseur d'accès) qui doit être inscrite dans *Ordre de recherche*. Lorsque cette adresse a été saisie, cliquez sur le bouton *Ajouter*.

• En général, il y a deux adresses de serveurs de noms, une adresse principale et une adresse secondaire (ex. 194.178.94.02). Saisissez la seconde adresse de la même manière.

Les autres onglets sont facultatifs et ne doivent être remplis qu'en fonction des paramètres que vous fournira éventuellement votre fournisseur d'accès.

✓ Installer la carte d'accès à réseau distant

Vous avez désormais installé la pile TCP/IP et vous l'avez configurée. Etes-vous opérationnel ? Non ! Il vous reste à installer la carte d'accès à un réseau distant. Burp... qu'est-ce encore ? Sous couvert d'une dénomination matérielle, cette dernière est la partie logicielle qui permettra à votre ordinateur de se connecter à un serveur d'accès distant de type PPP (Point to Point Protocol), SLIP (Serial Line Internet Protocol), RAS (Remote Access Services) ou Netware Connect via un modem ou un câble. Sans cette carte, pas de connexion possible. C'est elle qui permettra la gestion du protocole TCP/IP.

1. Comment l'installer ?

- Cliquez sur le bouton *Démarrer*, puis successivement sur les items *Paramètres* et *Panneau de configuration*.

- Double-cliquez sur le module *Réseau*.

- Dans l'onglet *Configuration*, cliquez sur *Ajouter*, puis cliquez sur *Cartes*.

- Dans la liste des constructeurs, choisissez *Microsoft*.

- Dans l'encadré placé en regard *(Cartes réseau)*, sélectionnez l'item *Carte d'accès distant*. Validez et insérez le CD-Rom si nécessaire. Après installation, relancez la machine.

Lorsque la *Carte d'accès distant* a été installée, un nouveau dossier apparaît dans le Poste de travail. Ce dossier dénommé *Accès réseau à distance* permet de créer des scripts de connexion au fournisseur d'accès Internet. Scripts de connexion qui auront priorité par rapport aux options de configuration de la pile TCP/IP. Quand je vous disais que configurer la pile TCP/IP était devenu inutile... :-)

✓ Créer le script de connexion au fournisseur d'accès

Il ne reste justement qu'à le créer ce script de connexion PPP (Point to Point Protocol). Utilisant le module Dialup de Windows 95, ce script de connexion prendra en charge l'appel via le modem et la première phase de négociation entre votre ordinateur et le serveur de votre fournisseur d'accès, entre autres la déclaration du login et du mot de passe.

1. Comment créer le script ?

• A partir du bureau, ouvrez le *Poste de travail*, puis le dossier *Accès réseau à distance*.

- Double-cliquez sur l'icône *Nouvelle connexion*.

- Donnez un nom à la connexion. Pour plus de facilité, donnez-lui le nom du fournisseur d'accès Internet qui sera appelé par ce script.

- Sélectionnez le modem qui sera utilisé. Et

cliquez sur le bouton *Suivant*.

- Saisissez l'indicatif du numéro appelé, le numéro appelé et, au sein de la liste déroulante, le pays où est localisé le serveur de votre fournisseur d'accès qui sera appelé.

- Validez le nom du script et cliquez sur *Terminer*.

De retour au dossier *Accès réseau à distance*, cliquez sur cette nouvelle connexion avec le bouton droit de la souris et choisissez la commande *Propriétés*.

2. Onglet Général

Dans l'encadré *Numéro de téléphone*, vous retrouverez très normalement les paramètres de connexion tels que vous les avez définis lors de la création de la connexion.

Si vous appelez en local, décochez l'option *Utiliser l'indicatif du pays* et *l'indicatif de la zone*.

Vous pouvez choisir un autre modem dans l'encadré *Se connecter en utilisant*, et ce en cliquant sur la liste déroulante. Seuls les modems installés sont disponibles dans cette liste.

Cliquez sur l'onglet *Type de serveur*.

3. Onglet Serveur

- Dans le menu déroulant *Type de serveur d'accès distant*, choisissez PPP:Windows 95, Windows NT 3.5, Internet. Cette option n'apparaît que lorsque la Carte d'accès distant a été installée.

- Parmi les trois options avancées, seule l'option *Se connecter à un réseau* est nécessaire.

- Parmi les protocoles autorisés, seul compte le protocole *TCP/IP*.

- Ceci fait, cliquez sur le bouton *Paramètres TCP/IP*.

➤ *Erreur classique !*

Si vous éprouvez des problèmes de connexion, vous éprouverez immanquablement l'impression qu'il fallait cocher ces deux autres protocoles. Que non ! NetBEUI (NetBIOS Extended User Interface) est le protocole réseau de Microsoft. Il a été conçu et optimisé pour les réseaux locaux. Rien ne sert donc de cocher cette option. L'option IPX/SPX est également un protocole pour réseaux locaux Netware de Novell. Pas plus utile, en somme !

4. Configurer la pile TCP/IP (bis)

Paramètres TCP/IP

○ Adresse IP attribuée par serveur
● Spécifier une adresse IP

Adresse IP : 194 . 214 . 91 . 96

○ Adresses de serveur de nom attribuées par serveur
● Spécifier les adresses de serveurs de noms

DNS primaire : 193 . 149 . 96 . 1

DNS secondaire : 193 . 149 . 96 . 2

WINS primaire : 0 . 0 . 0 . 0

WINS secondaire : 0 . 0 . 0 . 0

☑ Utiliser la compression d'en-tête IP

☑ Utiliser la passerelle par défaut pour le réseau distant

OK   Annuler

- Généralement, c'est le serveur qui vous fournit automatiquement une adresse IP, dans ce cas activez l'option *Adresse IP attribuée par serveur*.

- Si votre fournisseur d'accès vous a donné une adresse IP permanente inscrivez-la après l'intitulé *Adresse IP*. Elle s'inscrit sous le format numérique suivant : 194.214.91.96

- Les adresses de serveurs de noms ne sont que très rarement attribuées par le serveur. Ces adresses vous ont impérativement été communiquées par votre fournisseur d'accès.

- Cliquez sur l'option *Spécifier les adresses de serveurs de noms.*
- En regard de l'intitulé *DNS primaire*, saisissez la première adresse DNS communiquée par le fournisseur d'accès (ex. : 193.149.98.1).
- En regard de l'intitulé *DNS secondaire*, saisissez la seconde adresse DNS communiquée par le fournisseur d'accès (ex. : 193.149.98.2).

➤ *Erreur classique !*

Attention à ne pas placer les adresses DNS en regard des intitulés *WINS* (Windows Internet Naming Services) *primaire* et *WINS secondaire. Ces deux zouaves* ne doivent être complétés que dans la mesure où le fournisseur d'accès vous a fourni de telles adresses. WINS est un utilitaire réseau qui permet d'attribuer des noms NetBIOS plutôt que des adresses logiques IP (194.214.91.94). C'est l'équivalent sous Windows 95 ou NT de DNS sous UNIX.

L'option *Utiliser la compression d'en-tête IP* peut être cochée sans trop de risques ; elle permet d'optimiser les transferts entre ordinateurs.

L'option *Utiliser la passerelle par défaut* pour le réseau distant doit être cochée. Elle indique que le trafic Internet doit être directement dirigé vers la connexion WAN (Wide Area Network), c'est-à-dire vers votre fournisseur d'accès.

5. Onglet Script en cours

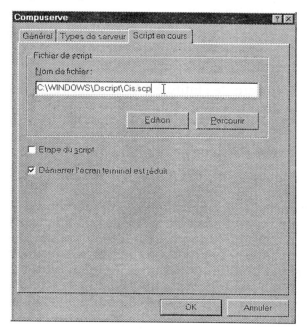

L'onglet *Script en cours* n'est que rarement utilisé, sauf, par exemple, lorsque vous utilisez votre connexion Compuserve comme connexion PPP pour surfer sur Internet sans passer par l'interface du service en ligne.

Au sein de cet onglet, cochez simplement l'option *Démarrer l'écran terminal réduit*. Dans le cas contraire la connexion sera semi-automatique au lieu d'être complètement transparente.

Validez le tout et revenez au dossier *Accès réseau à distance*.

✓ *Testez la connexion*

Vous en avez terminé avec les configurations. Reste à tester la connexion. Il suffit de cliquer dessus pour la lancer. Une boîte de dialogue s'ouvre alors.

- Vous aurez à fournir votre nom d'utilisateur, ou en d'autres termes, votre login, et votre mot de passe. Deux données qui vous auront nécessairement été communiquées par votre fournisseur d'accès Internet.

- Si vous êtes seul à utiliser l'ordinateur, n'hésitez pas à cocher l'option *Enregistrer le mot de passe*, cela vous évitera de le taper à chaque connexion.

- Cliquez sur *Connecter*.

❏ CONFIGURATION DE LA CONNEXION SOUS MAC

Plaisir du Mac, il est infiniment plus simple d'y brancher un périphérique que sur un PC. Heureux les accros du Mac qui ne doivent pas se taper quarante-cinq étapes pour configurer leur modem et les connexions TCP/IP. Pour eux, il est rarement question de se poser une autre question que : comment installer ma carte-modem ou mon modem ? Mieux, la réponse tient toujours en 35 secondes. Décrire les avantages et les inconvénients de l'un et de l'autre n'est pas notre propos. Notre objectif est de vous apporter les éléments de réflexion qui vous permettront de détecter l'éventuelle source du problème.

✓ Installation matérielle d'une carte-modem interne

- Démontez le capot de votre Mac.
- Repérez un emplacement libre.
- Insérez-y la carte-modem, de telle façon que la fiche femelle (type RJ11) du câble téléphonique apparaisse sur la face arrière.
- Branchez la partie mâle du câble téléphonique dans la fiche femelle de la carte.
- Branchez la prise gigogne du câble téléphonique sur un connecteur mural.

✓ Installation matérielle d'un modem externe

- Le modem externe se place sur le connecteur série mini-din 8 figuré par un "téléphone" ou une "imprimante".
- Branchez le câble modem sur le connecteur situé sur la face arrière de l'unité centrale.
- Branchez le connecteur RJ11 mâle du fil téléphonique dans le logement femelle correspondant sur le boîtier du modem.
- Branchez la prise jack du cordon d'alimentation sur le boîtier du modem et le transformateur sur une prise secteur.

✓ Configuration logicielle

La configuration logicielle du Mac dépend de votre système. Deux cas d'école peuvent être considérés, la connexion sous un système 7.5 et ultérieur ou sur le Mac OS 8.0. Depuis la version 7.5, le maître d'œuvre de cette connexion se dénomme MacPPP.

Sur les anciens systèmes, il fallait fournir les extensions du modem du type FreePPP. Quant à nous, nous illustrerons notre propos avec MacPPP.

S'il n'est pas disponible sur votre Mac, vous pouvez le télécharger chez un copain à l'adresse http://www.download.com ou le trouver sur les CD-Roms de revue informatique. Sinon, il accompagne généralement la disquette d'installation de votre modem. Dans ce cas, lancez le programme d'installation. L'installateur se charge alors de placer les extensions à leur place. Si tout s'est bien passé, vous devriez avoir une nouvelle extension *Modem* dans *Tableaux de bord (Menu Pomme, Tableaux de bord)*. Cela signifie que MacPPP est désormais activé. Ce dernier est cependant indissociable de MacTCP et leur installation est commune.

- MacPPP gère la liaison avec votre modem.

- MacTCP se charge du protocole TC/IP utilisé par Internet.

Configurez MacTCP

- Installez l'extension *MacTCP* depuis le gestionnaire d'extensions.

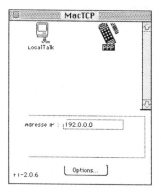

- Lancez ensuite MacTCP à partir du tableau de bord, puis cliquez sur l'icône *PPP*. Vous indiquez ainsi au logiciel que votre connexion se fera par modem.

- Cliquez sur *Options* pour saisir les paramètres de la connexion tels qu'ils vous ont été fournis par votre fournisseur d'accès.

```
┌─────────────────────────────────────────────────────────────┐
│ ┌─Obtenir l'adresse :─┐  ┌──────Adresse IP :──────────┐      │
│ │ ○ Manuellement      │  Classe : [ C ]  Adresse : 192.0.0.0│
│ │ ⦿ Serveur           │  Masque : 255.255.255.0         │   │
│ │ ○ Dynamiquement     │  ▯▯▯▯▯▯▯▯▯▯▯▯▯▯▯▯▯▯▯▯▯▯▯▯▯▯▯▯▯▯ │   │
│ │                     │     Réseau | Branche | Nœud     │   │
│ │                     │  Bits :  24      0      8        │   │
│ │                     │  Réseau : │12582912│ □ Verrouillé│  │
│ ┌─Infos de routage :──┐  Branche : │0      │ □ Verrouillé│  │
│ │ Passerelle :        │  Noeud :   │0      │ □ Verrouillé│  │
│ │ │0.0.0.0│           │  ┌─Infos Serveur de domaines :──┐   │
│ │                     │    Domaine    Adresse IP   Défaut│   │
│ ┌──────┐ ┌────────┐   │  │turbo.option.fr│194.117.200.13│ ⦿│ │
│ │  OK  │ │ Annuler│   │  │          │ │          │     ○ │   │
│ └──────┘ └────────┘   │  └───────────────────────────────┘  │
└─────────────────────────────────────────────────────────────┘
```

- Entrez les indications fournies par votre fournisseur d'accès (voir page 29 et suivantes).

- Si vous ne disposez pas d'une adresse IP permanente, cliquez sur *Serveur* dans l'encadré *Obtenir l'adresse.*

- Les infos de routage ne doivent généralement pas être fournies, laissez les données telles quelles.

- Classiquement le masque de sous-réseau est donné par la séquence 255.255.255.0.

- Par contre, vous devrez spécifier l'adresse IP, c'est celle du serveur de votre fournisseur d'accès. Sans elle vous n'irez pas très loin.

- Cliquez sur l'option *Défaut.*

- Validez vos informations en cliquant sur *OK.*

- Après toute modification dans MacTCP,

redémarrez la machine. Ce n'est pas essentiel de le faire à ce stade, mais il n'est pas rare de rencontrer un blocage du système. Il ne vous reste alors qu'à configurer PPP.

• Ouvrez l'extension *"ConfigPPP"* *("Menu Pomme", "Tableaux de bord", "ConfigPPP").*

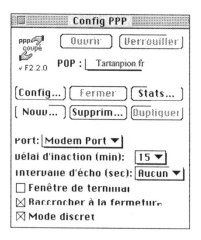

• Vérifiez ensuite que votre modem est bien branché sur le *Port modem* à l'arrière de votre Macintosh. Sélectionnez alors *Modem Port* dans le menu déroulant suivant l'intitulé *Port*. S'il s'agit d'un modem interne, vous devez sélectionner *Port données*.

• Cliquez ensuite sur le bouton *Config*.

Nom du serveur PPP :	Tartanpion.fr
Débit (bps) :	38400 ▼
Contrôle de flux :	CTS & RTS (DTR) ▼
◉ Fréquences vocales ○ Impulsions	
Numéro de téléphone	01 42.00.00.00
Initialisation du modem	AT&F1
Délai de connexion du modem :	90 secondes

[Configur. de connexion] [Options LCP...]
[Authentification...] [Options IPCP...]   [OK]

Dans la fenêtre qui apparaît :

- Saisissez le nom de domaine de votre fournisseur d'accès.

- Après Débit (bps), choisissez la vitesse de transmission maximale que peut soutenir le modem.

- Le contrôle de flux doit normalement être assuré par le modem par voie matérielle, sélectionnez donc CTS &RTS (DTR).

- La connexion peut se faire par fréquence vocale (Tone Dial), vous êtes alors connecté à un central numérique de France Télécom (France) ou de Belgacom (Belgique). Si vous êtes encore de ces rares personnes à être connectées à un central analogique, choisissez *Impulsions* (Pulse Dial). Comment le savoir ? C'est simple, essayez un appel international, formez le 00 et attendez. Si, après quelques secondes, la musique traditionnelle des appels internationaux se fait entendre, c'est que vous êtes toujours connecté à un central analogique.

Donnez ensuite le numéro de téléphone à former pour atteindre le serveur de votre fournisseur d'accès.

Il ne reste qu'à fournir la chaîne d'initialisation du modem[2].

Cliquez ensuite sur *Authentification*, ce qui a pour résultat d'ouvrir la fenêtre suivante :

Note : Les zones du mot de passe et de l'identification peuvent être laissées vides pour indiquer qu'ils doivent être spécifiés au moment de la connexion.

Identification : login

Mot de passe : ••••••••

Tentatives : 10   Délai : 3   secondes

[Annuler]   [OK]

Entrez alors votre login et votre mot de passe dans les zones du même nom. Validez par *OK*. Cette validation vous ramène à l'écran précédent.

C'est grâce à cette extension ConfigPPP que vous pourrez initialiser votre connexion, et ce grâce au bouton *Ouvrir*. Dans ce cas, la connexion est symbolisée par le fait que les deux mains situées en haut et à gauche de la fenêtre sont réunies avec le message *PPP ouvert*.

---

[2] Une liste de chaînes d'initialisation des modems est disponible à l'adresse : http://tuzo.reduaz.mx/Modems/Macintosh Modems.html. Elle est valable pour la majorité des modems du marché.

Il ne vous restera plus qu'à lancer votre navigateur. Comme le Macintosh est bien fait, il vous suffira à l'avenir de lancer votre navigateur pour que
MacTCP soit activé. Cool !

Chapitre 3

Les principaux problèmes
de connexion avec
votre fournisseur d'accès
et Internet

❏ PRÉLIMINAIRES : LOCALISER LA SOURCE DU PROBLÈME

Rien ne marche ! Pas de panique, que vous en soyez à votre première connexion ou à la cinq centième, la procédure de détection du problème doit obéir à une démarche stricte. Elle vous permettra de repartir avec une certitude : l'endroit où chercher. En résumé : le problème peut se situer à trois endroits bien distincts : chez vous, chez le fournisseur d'accès à Internet (WorldNet, Imaginet, etc.) ou, troisième solution, n'importe où ailleurs, c'est-à-dire essentiellement au sein même du réseau Internet ou sur le serveur que vous essayez d'atteindre.

La première étape consiste donc à essayer de détecter la source du problème. Vous avez une possibilité d'action immédiate si le problème est situé chez vous, cette possibilité s'amenuise s'il est localisé chez votre fournisseur d'accès ; elle est quasiment réduite à néant si le réseau ou le serveur auquel vous cherchez à accéder est en cause.

Si une bonne partie des lenteurs et des messages d'erreurs sont imputables au réseau Internet ou aux serveurs auxquels vous cherchez à accéder, une partie non moins importante des problèmes sont généralement à trouver sur votre machine. Explorez prioritairement cette piste. Je me souviendrai longtemps de cet ami spécialiste ès informatique et Internet qui, après avoir correcte-ment installé le nécessaire sur une machine, essaya sa première connexion qui... ne fonctionna pas. Après une heure de recherche et deux coups de fil à son fournisseur d'accès, il finit par se rendre compte qu'il avait oublié d'installer TCP/IP* sur l'ordinateur. Ceux qui savent de quoi il s'agit esquissent déjà un sourire, aux autres, je ne demande qu'un peu de patience. Le principe de fonctionnement d'Internet sera décortiqué au fur et à mesure.

✓ Comment faire pour localiser la source du problème ?

L'expérience montre qu'il y a deux aspects au problème : le premier est lié à la connexion elle-même. C'est l'objet de ce chapitre. Le second est lié à l'utilisation des programmes permettant d'utiliser Internet sous toutes ses facettes : Web, e-mail, FTP, Gopher, Wais, Irc, etc.

Dans le premier cas, commencez par fouiner chez vous. Modem, configuration, conflit entre programmes sont probablement la source du problème.

Dans le second cas, la source des problèmes est multiple. Nous nous attacherons à évoquer les problèmes les plus classiques : le serveur demandé ne répond pas, comment gérer plusieurs boîtes aux lettres, où trouver quoi, l'abc de l'utilisation des moteurs de recherche. Bref, une véritable foire aux questions où nous espérons que vous trouverez la réponse à vos questions ou, à tout le moins, une piste qui vous permettra de solutionner vos problèmes.

❑ QUELQUES PROBLÈMES CLASSIQUES

Lors de connexions à Internet, un certain nombre de problèmes classiques pointent à l'horizon. Nous allons considérer les problèmes les plus souvent rencontrés :

1. Le modem n'est pas correctement initialisé.

2. La pile TCP/IP n'est pas installée.

3. Le câble de liaison entre modem et micro-ordinateur n'est pas de bonne qualité ou ne gère pas le contrôle de flux matériel.

4. La ligne téléphonique est de mauvaise qualité.

5. Le DTR (Data Terminal Ready) est trop court.

6. Le numéro est brûlé.

7. Le port série est mal configuré.

8. Les informations concernant votre fournisseur d'accès sont incorrectes.

9. L'UART de votre PC n'est pas le bon.

10. Le modem est bogué.

11. Trop d'appareils sont branchés sur une même ligne.

12. Le pilote gérant le PPP entre en conflit avec le pilote fax.

✓ LE MODEM N'EST PAS CORRECTEMENT INITIALISÉ

➤ *Constat :*

Une mauvaise initialisation du modem peut être responsable de maux divers : dysfonctionnement du modem, vitesse de transfert et de réception insuffisante, etc. Cependant, on n'observe généralement qu'un fonctionnement non optimisé du modem et non des blocages. Cette diminution des problèmes est généralement liée aux nouveaux modules d'installation des pilotes des modems. Et, pour une fois, grâce en soit rendue à Windows 95 qui a permis une belle uniformisation en ce domaine. C'est donc la dernière chose à regarder. Pourquoi commencer par ce problème alors ? Simplement parce qu'il nous permet de parler des commandes AT qu'on retrouvera par la suite.

➤ *Explication :*

L'initialisation du modem se fait grâce à une suite de commandes Hayes AT. Qu'est-ce ? Simplement un certain nombre de commandes développées par le constructeur Hayes pour assurer le transfert de l'information via les modems. Ces commandes sont devenues un standard de fait. Est-ce à dire que tous les modems respectent leur syntaxe ? Pas nécessairement. Pour ne parler que du plus célèbre, le constructeur de modem US Robotics (qui a fusionné avec 3Com en 1997) utilise des chaînes de commandes parfois différentes.

A quoi servent ces commandes AT dans une chaîne d'initialisation du modem ? Simplement à le configurer de manière optimale en fonction du matériel existant sur votre machine (UART, type de câble, logiciel, etc.). Reste à savoir où elle se niche et ce qu'on doit mettre dedans.

➤ *Remède :*

Avec Windows 95

Tout est simple ou tout est extrêmement compliqué. Si le modem est livré avec le bon pilote, Windows 95 se chargera de l'installer.

- Ouvrez le *Panneau de configuration* et double-cliquez sur l'icône *Ajout de périphérique*.

- Cochez la case *Non* pour choisir le type de matériel à installer. Dans la fenêtre suivante, cliquez sur *Modem*.

- Cochez la case *Ne pas détecter mon modem*.

- Dans la fenêtre suivante, cliquez directement sur le bouton *Disquette fournie* après avoir inséré la disquette.

Windows 95 lit alors le fichier .inf (fichier d'informations) dans lequel sont placées toutes les informations nécessaires à l'initialisation du modem ; il écrit ensuite ces informations dans la Base de registres. La chaîne d'initialisation peut donc être trouvée et modifiée dans la clé suivante :

HKEY_LOCAL_MACHINES\System\CurentControlSet\Services\Class\Modem\0000\Settings\Init.

Si, hélas, vous devez modifier radicalement la chaîne d'initialisation, il vous faudra passer par la base de registres. Mais, bien souvent, ce n'est pas la peine d'aller jusque-là puisque vous pouvez

écrire les commandes désirées sur la ligne
Paramètres supplémentaires de la boîte de dia-
logue *Paramètres de connexion avancés*.
Comment y arriver ?

- Cliquez sur *Démarrer/Paramètres/Panneau de
configuration*.

- Lancez le module *Modems*, sélectionnez votre
modem et cliquez sur le bouton *Propriétés*.

- Cliquez sur l'onglet *Connexion* puis sur le
bouton *Avancé*. Vous y êtes.

- Il suffit de saisir la commande telle quelle dans
cette ligne.

Avec le Macintosh

- Ouvrez l'extension «*ConfigPPP*» («*Menu
Pomme*», «*Tableaux de bord*», «*ConfigPPP*»).

- Cliquez ensuite sur le bouton *Config.*

Vous y trouverez un intitulé :
chaîne d'initialisation (par exemple : AT&F1).

Si vous disposez de FreePPP, qui était idéal pour
les systèmes précédant le 7.6 :

Ouvrez *General*, puis *Modem Setup*. Vous avez
alors le choix entre la saisie manuelle de la chaîne
d'initialisation et l'auto-détection du modem. Ce
qui signifie que FreePPP recherche la chaîne d'initialisation la plus adéquate dans la base de données dont il dispose.

➤ *Quelle chaîne utiliser ?*

Classiquement la chaîne d'initialisation de base d'un modem est :

AT&F1

A cela on peut ajouter quelques commandes courantes, en gardant à l'esprit que la chaîne d'initialisation ne peut excéder 40 caractères :

- **&C1** : le signal Carrier Detect est émis normalement.
- **&K0** : le câble ne permet le contrôle de flux matériel (RTS+CTS).
- **&K3** : force le contrôle de flux matériel (RTS+CTS).
- **&Q5** : force la communication en asynchrone avec correction d'erreur (V42) et compression des données (V42bis). Un modem à 28800 doit disposer de 115200 bps entre lui-même et le CPU de votre ordinateur.
- **&Q6** : la communication est en asynchrone mais il ne peut y avoir de correction d'erreurs ni de compression de données.
- **V0** : le message est numérique.
- **S25=20** : le signal DTR peut rester 20 centièmes de seconde sur OFF avant de provoquer une déconnexion.

Si votre modem n'est pas tout à fait compatible Hayes, interrogez-le sur la signification des commandes qu'il peut gérer. En général, on trouve ces commandes dans le manuel qui accompagne le modem. La commande d'interrogation qui est généralement AT&F&V peut être différente. Mon modem US Robotics Sportster Voice 33.6 fax/modem utilise la commande AT$ pour fournir la liste des commandes qu'il gère et sa chaîne d'initialisation est :

ATS7=60S19=0L0M1&M4&K1&H1&R2&I0B0X4

Vous trouverez la signification des termes abscons en annexe.

Pour les modems mis en circulation avant août 1996, on trouve une liste de chaînes d'initialisation à l'adresse suivante :

http://www.sct.fr/~philb/FAQ-TXT/FAQ001.html

✓ La pile TCP/IP n'est pas installée

➤ Constat :

Vous avez configuré votre accès à un réseau distant. Tous les paramètres semblent corrects. Vous lancez votre connexion. Le numéroteur appelle correctement ; la session s'établit ; le login et le mot de passe sont correctement validés et puis... plus rien. Ou plutôt si... une déconnexion avec un message sibyllin.

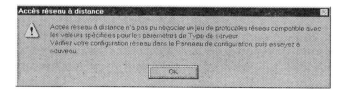

➤ *Explication :*

Il est fort probable que la pile TCP/IP ne soit pas installée. Sans elle, les logiciels en place du côté de votre fournisseur d'accès sont incapables de parler la même langue que vous.

➤ *Remède :*

N'oubliez donc pas d'installer la pile TCP/IP :

- Cliquez sur *Démarrer/Paramètres/Panneau de configuration* et activez le module *Réseau*.
- Si la mention TCP/IP n'apparaît pas, cliquez sur le bouton *Ajouter*, puis sélectionnez l'intitulé *Protocole* et cliquez encore une fois sur *Ajouter*.
- Dans la liste des constructeurs disponibles, cliquez alors sur *Microsoft*, puis dans le cadre de droite sur *TCP/IP*, introduisez le CD-Rom, relancez la machine et le tour est joué.

✓ *Le mauvais câble entre le modem et l'ordinateur*

➤ *Constat :*

Vous avez tout configuré, mais lorsque vous lancez une connexion, le message " modem introuvable " est affiché à l'écran.

➤ *Explication :*

Outre le fait qu'il est possible que le modem ne soit pas allumé ou correctement connecté à l'ordinateur, choses faciles à vérifier, il est possible que votre modem soit relié à l'ordinateur par un câble défectueux ou par un câble ne répondant pas aux exigences de la compression de données et de contrôle de flux (RTS + CTS). Or, il est fort probable que ces deux options soient cochées dans les options de configuration *Mac PPP* ou *Modems* (voir précédemment). On rencontre rarement ce problème sur PC ; il est par contre plus fréquent sur Mac en raison du câblage particulier du port série.

➤ *Réponse :*

Il existe un moyen relativement simple de vérifier le câble. Il suffit de lui imposer un contrôle de flux par la voie des commandes AT Hayes. Cette commande est la commande AT&k3. Il suffit d'utiliser un émulateur de terminal pour y arriver.

Sur Windows 95

Au sein de Windows 95, c'est HyperTerminal qui joue ce rôle. Pour le lancer :

- Cliquez sur le bouton *Démarrer*, choisissez la commande *Programmes/Accessoires* et cliquez sur le dossier *HyperTerminal*.

- Double-cliquez sur l'icône *Hypertrm.exe*.

- Saisissez n'importe quel nom de connexion. Sélectionnez une icône et validez par *OK*.

- Déroulez le menu *Connecter en utilisant*, sélectionnez *Diriger vers Com 2* si Com 2 est le port sur lequel est connecté votre modem et validez.

- Déroulez le menu *Bits par seconde* et sélectionnez la valeur maximale supportée (souvent 115 200 bps), puis validez.

- De retour dans HyperTerminal, ouvrez le menu *Fichier* et choisissez la commande *Enregistrer pour sauvegarder la session en cours.* Ceci vous permettra de refaire ces tests par la suite.

- Saisissez ensuite la commande suivante :

  At&k3

  Puis validez.

Vous devriez obtenir un message *OK*. Si vous obtenez le message *Error* ou *le modem est introuvable*, c'est que le câble ne supporte pas le contrôle de flux. Un autre symptôme viendra du fait que votre modem peut ne pas numéroter. Il sera donc nécessaire d'acheter un nouveau câble (entre 100 et 150 FF).

Sur le Macintosh

Sur le Macintosh, si vous ne disposez pas d'un émulateur de terminal, procédez comme suit :

- Ouvrez l'extension «*ConfigPPP*» («*Menu Pomme*», «*Tableaux de bord*», «*ConfigPPP*»).

- Cliquez ensuite sur le bouton *Config*.

- Dans la chaîne d'initialisation (par exemple : AT&F1) : ajoutez &k3. Ce qui doit donner : AT&F1&k3

Les mêmes symptômes que décrits précédemment devraient se manifester.

➤ *Astuce :*

Pour connaître les commandes AT reconnues par votre modem, tapez la séquence AT&F&V, puis validez.

Si vous possédez un modem USR, saisissez simplement la commande *AT$* (dollar) et validez.

Dans les deux cas, la liste des commandes reconnues par le modem s'affiche. Si vous obtenez la ligne *Error*, consultez votre documentation pour connaître les commandes acceptées.

➤ *Attention*

Si le câble n'est pas du bon type ou est défectueux, ne cochez pas l'option *Contrôle de flux logiciel Xon + Xoff*. Cela aboutit généralement à un plantage. Il vaut mieux désactiver le contrôle de flux. Purement et simplement.

✓ *La ligne téléphonique est de mauvaise qualité*

➤ *Constat :*

• Vous souffrez de déconnexions répétées.

• Vous ne parvenez pas à dépasser une vitesse de 20 000 bps alors que votre modem permet d'atteindre 33 600 bps voir 56 kbps. En outre, l'UART n'est pas en cause (voir plus loin).

Mais à qui la faute ? A votre fournisseur d'accès, à France Télécom, à Internet ?

➤ *Explication :*

Il est possible que la ligne téléphonique soit de mauvaise qualité ; elle émet alors beaucoup de bruits parasites ; c'est ce qu'on appelle communément la friture.

➤ *Remède :*

- En France, il existe un service permettant de tester la ligne téléphonique, service dont ne bénéficient pas les Belges. Téléphonez au numéro 36.44.00.00 de France Télécom, puis raccrochez.

- Après un peu moins de dix secondes, décrochez à nouveau. Si la tonalité est grave et continue, la ligne est correctement isolée ; si la tonalité est lente et hachée, pas de chance. Vous avez une fuite à la terre ; si la tonalité est rapide et hachée, c'est d'une fuite entre fils de ligne dont vous souffrez.

- Raccrochez à nouveau et attendez que votre téléphone sonne. Décrochez encore une fois et écoutez.

- Si la tonalité est grave et continue, l'intensité de la ligne est normale, si la tonalité est lente et hachée, l'intensité de la ligne est trop faible (<33 mA), si la tonalité est rapide et hachée l'intensité de la ligne est trop forte (de 50 à 70 mA). Enfin, si la tonalité est irrégulière, votre ligne souffre d'un ego surdimensionné (intensité > à70 mA).

Si la faute est imputable à France Télécom, n'hésitez pas à les contacter. Ils ont horreur qu'on leur
dise qu'ils sont mauvais, surtout depuis que
Cégétel rôde dans les parages.

✓ Le DTR (Data Terminal Ready) est trop court

➤ Constat :

Vous continuez à souffrir de déconnexions
intempestives.

➤ Explication :

La ligne est de mauvaise qualité, France Télécom
n'a rien fait ou n'a rien pu faire.

Pour éviter ces ruptures, on peut jouer sur le délai
de position du DTR (Data Terminal Ready). Qu'est-
ce ? Il s'agit d'un des paramètres du modem lui
indiquant qu'il peut ou ne peut pas communiquer.
Lorsque le signal ne passe plus en raison d'une
mauvaise qualité de ligne, le DTR est mis en
position Off, aucune communication ne peut plus
avoir lieu. Lorsque l'intensité du signal augmente,
le DTR se remet en position ON et la communication peut reprendre. Le hic, c'est qu'après un
certain temps, si le DTR est toujours en position
OFF, la connexion est purement et simplement
coupée. Ce délai de tolérance est généralement
de cinq secondes. Souvent, il suffit de l'augmenter
pour que tout rentre dans l'ordre et que vous
n'ayez plus à souffrir de déconnexion intempestive. Il suffit généralement de rajouter le paramètre
S25=20 pour que le DTR puisse rester
20 secondes sur la position OFF sans provoquer

la déconnexion. Au-delà, votre ligne est sacrément mauvaise.

Une autre cause à ce problème peut être le fait qu'en raison d'un bruit trop important sur la ligne, le modem ne puisse plus identifier le signal de la porteuse* (CD : Carrier Detect). La liaison est alors interrompue. La solution consiste donc à indiquer au modem qu'il doit être plus patient. Le registre S10 des commandes Hayes fixe le délai avant que le modem ne coupe la communication, faute d'avoir détecté la porteuse. Il suffit généralement d'introduire la commande AT S10=20 (20 dixièmes de seconde) pour régler le problème. Faute d'avoir détecté la porteuse durant deux secondes, le modem coupera alors la communication. Ce qu'il faut savoir c'est qu'en raison de la fréquence du signal, ces deux secondes sont généralement suffisantes pour que la porteuse revienne.

➤ *Remède :*

Sur Windows 95

- Cliquez sur *Démarrer/Paramètres/Panneau de configuration* et activez le module *Modems*.

- Cliquez sur le bouton *Propriétés*, puis sur l'onglet *Connexion*. Le bouton *Avancé* vous donnera accès à la boîte de dialogue *Paramètres de connexion avancés*.

- Sur la ligne *Paramètres supplémentaires*, saisissez &S25=20 S10=20

  (modification du DTR puis du Carrier Detect).

Sur Macintosh

- Ouvrez l'extension «ConfigPPP» («Menu Pomme», «Tableaux de bord», «ConfigPPP»).

- Cliquez ensuite sur le bouton Config.

- Dans la chaîne d'initialisation (par exemple : AT&F1) : ajoutez &S25=20. Ce qui doit donner : AT&F1&S25=20 S10=20

  (modification du DTR puis du Carrier Detect).

✓ Le numéro est brûlé

➤ Constat :

Vous en êtes aux premières tentatives de connexion et en chaque occasion un petit paramètre vient jouer en solo mettant prématurément fin à la connexion. Au bout de la troisième tentative, plus moyen de numéroter ! Vous recevez systématiquement un message selon lequel la connexion a échoué.

➤ Explication :

Pas de doute, votre modem a bien été agréé par France Télécom. Au bout de trois tentatives de connexion infructueuses, genre ligne occupée ou mot de passe mal tapé, il devient impossible d'atteindre le numéro téléphonique du serveur du fournisseur d'accès. Le numéro en question est simplement " brûlé ". C'est le seul truc trouvé par France Télécom pour éviter le piratage, en l'occurrence que des accros de la programmation rédigent des scripts testant en boucle un login et un mot de passe pour pénétrer indûment sur le serveur d'un fournisseur d'accès. Après trois tentatives infructueuses, le modem enregistre le numéro et le brûle, il ne peut plus être composé.

➤ *Réponse :*

Une solution consiste à éteindre le modem, puis à le rallumer. Si le modem est interne, éteignez l'ordinateur. En de rares occasions, il sera même nécessaire de lui enlever son câble d'alimentation. C'est casse-pieds mais ça marche. On peut cependant modifier la chaîne d'initialisation du modem avec une commande cachée, spécifique à chaque modem. On peut en trouver quelques-unes à l'adresse : http://www.sct.fr/~philb/FAQ-TXT/FAQ002.html, une FAQ rédigée par Philippe Buschini.

✓ Le port série est mal configuré

➤ *Constat :*

Vitesse insuffisante, blocage du modem.

➤ *Explication :*

Le problème majeur vient de ce que, mal configuré, le port série peut limiter la vitesse de transfert des données entre le CPU de votre ordinateur et le modem. C'est ce qu'on appelle le DTE (Data Terminal Equipment). Vous ne bénéficierez plus des connexions en V34 à 28 800 bps, ni du contrôle d'erreur (V42), ni de la compression des données (V42 bis). Toutes choses qui, dans le meilleur des cas, vous permettraient d'envoyer quatre fois plus de données...

➤ *Remède :*

Avec Windows 95

Ce qui limite la vitesse DTE du port série est généralement l'UART. Nous en reparlons par la suite.

En théorie, les propriétés du modem *(Panneau de configuration/Modems/Propriétés)* prévalent sur le paramétrage du port de communication, mais sait-on jamais.

Pour vérifier le paramétrage du port de communication :

• Cliquez sur *Démarrer/Paramètres/Panneau de configuration*.

• Lancez le module *Systèmes*, puis cliquez sur l'onglet *Gestionnaire de périphériques*.

• Cliquez sur l'intitulé *Ports (COM & LPT)*.

• Sélectionnez le port auquel votre modem est connecté, puis sur le bouton *Propriétés*.

• Cliquez sur l'onglet *Paramètres* et vérifiez que les paramètres sont bien :

Bits par seconde : *115200* si votre modem est capable d'atteindre 28 800 bps.

Bits de données : *8*

Parité : *Aucun*

Bits d'arrêt : *1*

Contrôle de flux : *Matériel* si votre modem est aussi récent que votre câble. Avec un vieux câble et un vieux modem (avant 1993), préférez *Aucun*.

Propriétés Port de communication (COM2)

Général | Paramètres | Pilote | Ressources

Bits par seconde : 115200

Bits de données : 8

Parité : Aucun

Bits d'arrêt : 1

Contrôle de flux : Matériel

Avancés...   Rétablir les options par défaut

OK   Annuler

Avec le Macintosh

Là, c'est l'angoisse. Même sur le système 8.0, il n'y a pas de logiciel fourni avec le système d'exploitation et permettant de déterminer les performances du port série. Seuls des partagiciels tels que MacCheck en sont capables.

Selon les machines le résultat diffère :

• Les Macintosh les plus anciens (68000) n'autorisent qu'une vitesse DTE de 19 200 bps.

- Les Macintosh situés entre ces anciens modèles et les AV n'autorisent qu'une vitesse DTE oscillant entre 38 400 bps et 57 600 bps.
- Macintosh AV : DTE de 115 200 bps.
- Performa : DTE de 115 200 bps.
- PowerMacintosh : DTE de 115 200 bps.
- Au-delà : 115 200 bps.

➤ *Conséquences*

- Dans le premier cas (Macintosh à base de processeur 68000), vous ne pourrez vous connecter qu'à 14 400 bps. Vous devrez en outre désactiver la compression des données. La chaîne d'initialisation du modem devra donc intégrer les deux commandes suivantes :

  B10 &Q6

- Dans le second cas (avant les Macintosh AV), vous pourrez travailler à 28 800 bps, mais vous devrez désactiver la compression de données.

  La chaîne d'initialisation du modem devra donc intégrer la commande suivante :

  B20 &Q6

- Dans les trois derniers cas, vous pouvez travailler en V34, V42 et V42 bis.

✓ *Les informations concernant votre fournisseur d'accès sont incorrectes*

➤ *Constat :*

Impossible de trouver une adresse quelle qu'elle soit.

Le serveur du fournisseur d'accès ne répond pas.

Le login et le mot de passe sont incorrects.

➤ *Explication :*

Avec un peu de chance certaines erreurs ne prêtent pas à conséquence. Donner un mauvais numéro de DNS peut très bien faire en sorte que l'équivalence entre le nom de domaine et l'adresse IP se fasse sur un autre serveur de noms de domaine. Vous auriez une chance insolente mais ça s'est vu. Pour les besoins de la cause, j'ai essayé et ça a marché.

D'autres erreurs sont fatales :

- Mauvais numéro de téléphone du serveur.

- La numérotation s'est faite avec l'indicatif du pays et de la région alors que ce n'est pas nécessaire.

- Le login est tapé en majuscules au lieu d'être en minuscules, de même pour le mot de passe.

- Vous avez introduit une adresse IP permanente alors que le serveur devrait vous en attribuer une.

➤ *Remède :*

Revoyez, pas à pas, votre procédure de connexion. Mais gardez en mémoire ce petit détail qui joue parfois des tours... avez-vous payé votre facture au fournisseur d'accès ? Dans le cas contraire, il peut très bien désactiver votre login.

Le pilote gérant le PPP peut éventuellement entrer en conflit avec le pilote fax. Désactivez alors l'un des deux pilotes pour vérifier cette possibilité.

✓ *L'UART de votre PC n'est pas le bon*

➤ *Constat :*

Tout est correctement configuré, votre modem est supposé tourner à 33 600 bps mais impossible de dépasser une vitesse de 19 000 bps (soit ± 2,3 ko/s).

➤ *Explication :*

Problème typique des anciens PC. Comme nous l'avons expliqué en page 41, l'UART définit la vitesse maximale que peut atteindre le port série. Or, si la vitesse de port série est fixée à une vitesse supérieure à sa capacité réelle, les problèmes pointent leur nez : ralentissement, voire déconnexion. Les trois types principaux d'UART sont les suivants :

Le 8250 qui permet une vitesse de port série oscillant autour de 19 200 bps.

Le 16450 qui permet une vitesse de port série allant jusqu'à environ 57 600 bps.

Le 16550 qui permet une vitesse de port série de

115 200 bps.

En théorie, un UART de type 16450 devrait atteindre la même vitesse qu'un 16550, mais l'absence des tampons FIFO du 16450 l'empêche d'atteindre ce maximum théorique. De même, il n'est pas rare de dépasser 19 200 bps avec un 8250.

Le véritable problème est que dans la réalité, si vous fixez une vitesse de port série de loin supérieure à ces valeurs, l'UART n'aura pas le temps de traiter correctement toutes les infos et cela provoquera des bouchons. Or qui dit bouchon (ComOverruns Error), dit ralentissement du débit et des performances. C.Q.F.D.

En outre, si vous avez configuré le modem pour la compression des données et le contrôle d'erreurs, le modem du serveur s'adaptera à la configuration du vôtre – ces petits malins passent leur temps à négocier la vitesse maximale qu'ils peuvent atteindre. Votre modem pourra effectivement faire son boulot, s'il en a la capacité, mais un peu plus loin dans le tuyau, c'est l'UART qui ne le pourra pas et vous voilà reparti pour un bouchon.

➤ *Remède :*

Vérifiez le type de votre UART (voir page 41).

Avec un UART 8250, fixez une vitesse de port série de 19 200bps. Pas question de tourner à 33 600 bps alors que votre modem le permet. En outre n'hésitez pas à désactiver la compression des données et le contrôle d'erreurs (voir pages 85 et suivantes et annexe 1).

Avec un UART 16450, essayez une vitesse de port de 57 600 bps. Si votre modem permet de tourner à plus de 28 800 bps, il vous faudra sans doute désactiver la compression de données pour éviter les bouchons au niveau de l'UART. Pour quelle raison, parce que la norme V42 bis permet un rapport optimal de compression de quatre pour un. Il faut donc une vitesse de 115 200 bps pour être sûr qu'il n'y aura pas de bouchons.

Avec un UART 16550, pas de problème. On peut atteindre le seuil des 28 800 bps et même le dépasser pour atteindre 33 600 bps [3]. Vous me direz qu'il faudrait alors un UART capable de traiter les informations au rythme de 134 400 bps et vous auriez raison. Théoriquement. Car, le magnifique ratio de compression de données (4/1) ne fonctionne que pour des données qui ne sont pas encore compressées. En réalité, la plupart des informations sur Internet sont déjà compressées. Ce sont les images au format .gif, .jpg ou les fichiers compactés avec des utilitaires tels que WinZip ou PKZip. Un ratio de deux pour un est donc plus réaliste. Ce qui nécessite néanmoins un UART capable de gérer jusqu'à 67 200 bps, ce dont le chips 16450 n'est pas réellement capable.

[3] Sur la ligne téléphonique allant de chez vous vers l'opérateur téléphonique et pour autant qu'elle ne soit pas une ligne Numéris, la vitesse est limitée à 33 600 bps. C'est Claude Shanon qui démontra la limite à la quantité d'informations pouvant être transmise sur une ligne téléphonique. La voix humaine ayant une fréquence comprise entre 300 et 3.400 Hertz, il prit le cas d'une bande passante de 3.000 Hertz sur un canal de communication dont le ratio signal/bruit était de 35 dB (le parasitage normal d'une ligne), et démontra qu'on ne pouvait transmettre que 33 600 bps. Au-delà, il y a confusion dans le signal et le taux d'erreur augmente trop fort.

Si votre UART n'est pas un 16550, achetez-en un nouveau. Cela coûte aujourd'hui moins de 100 FF. Il se présente sous la forme d'une carte électronique sur laquelle sont placés le port série et l'UART. La carte doit être insérée dans un slot libre sur la carte-mère du PC.

✓ *Le modem est bogué*

➤ *Constat :*

La connexion ne peut être établie. La connexion est interrompue mais sans raison apparente. Des messages d'erreurs parlent de termes aussi bizarres que OverHead, Overruns, Fallback, etc.

➤ *Explication :*

Il arrive que les constructeurs de modems mettent sur le marché des modems bogués. Les modems fonctionnent en effet avec des logiciels nichés dans une mémoire EPROM ou FlashRom. Et comme tout programme informatique, ces logiciels peuvent être bogués. Les symptômes diffèrent beaucoup d'un bogue à l'autre.

➤ *Exemples :*

Les modems externes 28 800 bps de US Robotics souffraient d'une Flashrom boguée, si elle avait été écrite avant avril 1995. Ce fut également le cas de la série SG2834 de Creatix, dont l'EPROM 1.2 n'acceptait pas les commandes Hayes.

➤ *Remède :*

En général, dès que le bogue est reconnu, le constructeur du modem propose une mise à jour qui le corrige, à moins qu'il ne fasse un échange standard.

✓ *Trop de périphériques sur une même ligne*

➤ *Constat :*

Des déconnexions intempestives. Encore et toujours.

➤ *Explication :*

• France Télécom affirme qu'il vaut mieux se limiter à trois appareils sur une même ligne. Si votre modem doit partager la ligne avec un fax et quatre téléphones, il risque en effet d'y avoir des problèmes de chute de courant sur la ligne téléphonique. A ce moment, le modem ne peut plus fonctionner correctement.

• Par ailleurs, certains modems non agréés par France Télécom ont une impédance de 300 ohms en lieu et place des 600 ohms des modems agréés. Si, en plus, le central de France Télécom auquel vous êtes connecté dispose d'un limitateur d'intensité, vous êtes dans les choux.

• Notez enfin que les modems sont des bêtes extrêmement fragiles. Le taux d'erreurs grimpent dans des proportions effrayantes dès que l'on approche une source électromagnétique, telle qu'un aimant. Or, enceintes acoustiques, écrans, desktop, télévision, radio, transformateurs et tutti quanti sont des sources de perturbations potentielles.

➤ *Remèdes :*

- Evitez de connecter trop d'appareils à une seule ligne (3 maximum) lorsque vous surfez.

- Achetez un modem agréé, cela évite des surprises.

- Eloignez votre modem de toutes les sources d'émissions électromagnétiques.

✓ *Le pilote gérant le PPP entre en conflit avec le pilote fax*

➤ *Constat :*

Et une bombe, une ! Où ? Sur le Mac bien sûr. Ceci étant, les problèmes d'incompatibilité d'extensions ne génèrent pas systématiquement des bombes.

➤ *Explication :*

Le problème du conflit entre un pilote PPP et un pilote fax, est plus un problème de Mac qu'un problème PC. En effet, le Mac souffre toujours d'extensions mal programmées. Du genre, " je veux l'accès à la même ressource que toi alors tire-toi de là... ". N'utilisez donc que les extensions nécessaires.

Grâce à Windows 95, le PC ne souffre plus

de ce genre de couac. Tout cela a été obtenu grâce au module TAPI (Telephony Application Programming Interface). Tous les programmes de communication passent maintenant par cette interface. Ils ne dialoguent plus avec la ligne téléphonique. Il est donc possible de placer votre répondeur-fax en attente d'appel et de surfer. Le répondeur-fax en attente ne se doute même pas que la ligne est occupée car le module TAPI ne peut recevoir de signal d'appel, or c'est TAPI qui transmet ce signal d'appel au répondeur-fax. Cool !

➤ *Réponse :*

Sur le Mac, la solution transitoire consiste à désactiver le pilote du fax tant que vous n'en avez pas besoin et à le réactiver en cas de nécessité. Chose fort peu pratique s'il en est, mais qui a le mérite de vous permettre de continuer de travailler en attendant une mise à jour de l'extension délictueuse.

Pour ce faire, passez par le menu *Pomme,* sélectionnez l'item *Panneau de contrôle* et lancez le *Gestionnaire d'extensions* qui vous permettra de désactiver le pilote du fax. Cette solution n'est hélas qu'un pis-aller. L'idéal sera évidemment de mettre la main sur la mise à jour du pilote de fax en question, celle qui résout le bogue. Ce problème se présenta avec l'une des versions de l'extension Olifax développée par Olitec. Il fallait télécharger la version de mise à jour sur le site (http://www.olitec.com).

Attention, nous parlons ici d'extensions qui s'installent dans le dossier système et non de programme de gestion de fax.

Note : en matière de conflit entre extensions, il n'est pas rare de recontrer des conflits avec des pilotes d'imprimantes.

Chapitre 4

Les problèmes
de surf sur le Web

Ce chapitre est consacré aux problèmes et conseils qui ont trait au Web, c'est-à-dire à la partie multimédia d'Internet. Celle qui s'affiche comme un magazine...

❏ INTRODUCTION

Février 1996. Internet commençait à faire parler de lui, la mode était au bidouillage, au pionnier. Plusieurs centaines de navigateurs de types différents fouillaient le Web. Deux d'entre eux, NSCA Mosaïc et Netscape Navigator, s'attribuaient le marché ; ce duo avait la préférence de 90% des utilisateurs. Depuis, Microsoft est entré dans la danse en rachetant Mosaïc et la lutte se circonscrit au match Netscape contre Microsoft. Selon les chiffres tirés du magazine *The Economist* (07/07/97), Netscape représente encore aujourd'hui entre 60 et 70% du marché tandis que MS Internet Explorer oscille entre 25% et 35% du même marché. Mais ces chiffres datent quelque peu puisqu'entre-temps, Microsoft a sorti son Internet Explorer 4.0 dont on a beaucoup parlé. On parle aujourd'hui de 55% pour Netscape et de 45% pour Microsoft. A vrai dire, cela n'aurait guère d'intérêt si chacun de ces deux rois du surf n'affichait qualités et faiblesses.

✓ *Microsoft Internet Explorer 4.0*

1. Forces

- MS Internet Explorer 4.0 est plus intuitif que Netscape. Cela se ressent par de petits détails qui ont leur importance : la gestion multiprofil d'Outlook Express, une meilleure gestion des pages HTML, un service d'annuaire bien intégré, un Netmeeting très simple d'emploi, etc.

- Après installation, l'explorateur considère le bureau comme une page HTML où les dossiers sont considérés comme des liens hypertexte. Un seul clic suffit pour ouvrir les dossiers ou tout autre élément du bureau.

- L'apparence du bureau et des dossiers peut être personnalisée à l'instar d'une page Web.

- Les outils de recherche vous permettent de chercher indifféremment sur le Web et sur votre disque dur.

- Avec Webcasting, outil qui sera notamment alimenté par les réseaux de PointCast et de BackWeb, l'information arrive à l'utilisateur sans qu'il doive lui-même se lancer à sa recherche.

2. Faiblesses

- Microsoft a peiné pour stabiliser son produit. Et ce n'est toujours pas ça. Beaucoup de rumeurs courent sur certaines incompatibilités entre Windows 95 et I.E 4.0. Comme d'habitude quelques bogues ont déjà été mis à jour, notamment, celui où une adresse URL renvoie vers une dll placée sur votre machine. Si l'url dépasse 256 caractères, I.E 4.0 plante. Un patch de correction est déjà disponible à l'adresse : http://www.microsoft.com/ie/security/?/ie/security/ buffer.htm

On connaît les mauvaises habitudes de Microsoft qui fait généralement endosser au public les derniers tests de fiabilité de ses produits.

- Lorsque le bureau est actif, les performances globales du système diminuent. C'est qu'I.E 4.0 est gourmand en ressources. J'ai pu observer une diminution de 12% de la vitesse d'affichage sur mon Pentium à 200 MHz doté d'une Matrox Mystique bénéficiant de 4 Mo de mémoire vidéo.

- Des problèmes d'affichage récurrents, en raison des DirectX.

- Des conflits avec Netscape Communicator 4.0 si celui-ci est également installé sur votre machine. Sans que j'en sache beaucoup plus, ne lancez jamais les deux en même temps. Netscape plante à tous les coups. Je l'ai vécu plus d'une fois par mégarde.

✓ *Netscape Communicator 4.0*

1. Forces

Netscape n'a pas fait la révolution. Outre le fait que Communicator 4.0 soit une suite Internet bien intégrée, le navigateur même n'est en rien révolutionné. Il s'agit plutôt d'une série de retouches qui le rendent presque optimum.

- A l'usage, le produit s'avère aussi stable que robuste.

- La suite est idéale pour faire de l'Intranet.

- La gestion du bookmark est plus aisée que sur I.E 4.0.

- Les fichiers d'aide sont au format HTML.

- Messenger est capable de véritables prouesses de mise en page.

- Les pages HTML deviennent des raccourcis placés sur le bureau en une opération, etc.

2. Faiblesses

- S'il reconnaît enfin MAPI, s'il est enfin serveur et conteneur OLE et s'il bénéficie d'une barre de tâches flottante, Communicator 4.0 refuse d'intégrer VBScript et ActiveX.

- Communicator 4.0 est gourmand en ressources, même sur un bon Pentium à 200 MHz. C'est l'un des outils bureautiques les plus longs à télécharger.

- Des conflits avec I.E 4.0 si celui-ci est également installé sur votre machine.

❏ QUELQUES QUESTIONS CLASSIQUES

✓ Erreur 404 : page inexistante

➤ Question :

Vous essayez de vous connecter à l'adresse http://www.abc.fr/perso/~pierre, mais Internet renvoie le message d'erreur : " File Not found : The requested URL /LISTES/ was not found on this server. "

> *Réponse :*

Pas mal de sites changent d'adresse en l'une ou l'autre occasion. Il en va de même pour les pages personnelles. Persévérez. Cliquez sur le bouton *Stop* ou *Arrêter* de votre navigateur et réessayez. Si le problème persiste, procédez autrement. Contactez le niveau supérieur, c'est-à-dire : http://www.abc.fr/perso. A moins que le site n'ait fermé ses portes, cette adresse devrait répondre. Vous y trouverez peut-être le lien correct vers la page que vous cherchiez. Sinon, remontez encore d'un niveau : http://www.abc.fr. Ce type d'adresse ne change que très rarement dans la mesure où il s'agit souvent des serveurs Internet eux-mêmes. Sinon, de deux choses l'une : soit vous renoncez à ce site, soit vous demandez à Yahoo, Ecila, Alta Vista ou l'un de leurs congénères d'effectuer des recherches.

✓ Erreur 404 : page inexistante (bis)

> *Question :*

Lorsque vous essayez de vous connecter à une adresse http://www.abc.fr/perso/~pierre/, Internet renvoie le message d'erreur : " File Not found : The requested URL /LISTES/ was not found on this server. "

> *Réponse :*

Petite nuance, gros effets. Vous aurez remarqué qu'après ~pierre, il y a bien un " / ". Il est en trop. Ce caractère signifie que l'on se trouve au niveau d'un répertoire et non d'une page. Le serveur auquel vous vous connectez cherche alors désespérément un répertoire et ne le trouve pas, puisqu'il devrait chercher une simple page. La solution est simple, effacez ce caractère superflu de l'adresse et recommencez.

✓ Erreur 404 : page inexistante (ter)

➤ Question :

Lorsque vous essayez de vous connecter à une adresse http://www.abc.fr/perso/~pierre, Internet renvoie le message d'erreur : " File Not found : The requested URL /LISTES/ was not found on this server. "

➤ Réponse :

Manque de pot, le tilde, " ~ " est sûrement le caractère qui pose le plus de problèmes dans les adresses. Simplement parce qu'il est codé différemment sur Mac et sur PC. C'est comme cela. Des bookmarks en provenance de diverses machines, notamment de Mac, ayant atterri sur mon PC, j'ai pu le vérifier à mon grand embarras. Première solution, effacez puis retapez simplement le tilde sur votre clavier. Si cela ne marche pas, remontez d'un niveau. Vous y trouverez peut-être un accès à la bonne page. Sinon, passez par derrière, c'est-à-dire par un moteur de recherche. Demandez-lui de trouver l'adresse en question, telle quelle. La plupart des bons moteurs y arrivent. Grâce à l'hyperlien vous pourrez sans doute parvenir à la bonne page.

✓ *Erreur 404 : page inexistante (quater)*

➤ *Question :*

Lorsque vous essayez de vous connecter à http//:www.microsoft.com. Un message vous indique que le serveur n'a pas d'entrée DNS.

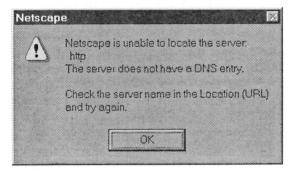

➤ *Réponse :*

Erreur classique de syntaxe ! En enlevant les deux petits points dans http//(:)www.microsoft.com, et en les rajoutant au bon endroit, vous bénéficierez d'un accès à Internet qui fonctionne parfaitement. La syntaxe correcte est donc celle-ci : http://www.microsoft.com.

✓ *L'adresse ne répond pas*

➤ *Question :*

Cela fait plusieurs minutes que vous patientez dans l'attente d'une réponse. L'accès au site désiré se fait attendre. Il n'en finit pas de charger, sans succès visible. Que se passe-t-il ?

➤ *Réponse :*

Votre requête ou la réponse à votre requête s'est peut-être égarée. Pour mieux comprendre ceci, il faut savoir qu'il est parfois plus facile pour une requête de passer par la Belgique afin d'arriver aux Etats-Unis que de partir en direct vers les Etats-Unis. Cela dépend de l'état de fréquentation du réseau, mais aussi des accords qui lient les différents opérateurs d'Internet. En l'occurrence, ils peuvent avoir mis en place de grosses artères entre deux pays et ces grosses artères peuvent faciliter le transit vers un pays tiers. C'est tout bien, tout beau, mais il n'est pas rare qu'une requête de connexion à un site se perde en chemin, étant passée par 50 sites intermédiaires avant d'atteindre son objectif. On croit l'informatique infaillible. Ben non... Commencez par stopper le chargement du site et, immédiatement après, sans attendre, rechargez. Essayez cette méthode une ou deux fois. Si une première requête s'est perdue, ce n'est pas nécessairement le cas de la deuxième qui aura peut-être trouvé un trou de souris et un chemin plus direct. Pour stopper le chargement d'un site, enfoncez simplement la touche *Echap.* (Esc.), cliquez sur le bouton *Stop* (Netscape) ou *Arrêter* (I.E.). Pour recharger à nouveau une page, cliquez sur le bouton avec la flèche courbée (pour Netscape Navigator) ou sur la page contenant deux flèches courbées (pour Internet Explorer).

✓ L'adresse ne répond pas (bis)

➤ Question :

Vous essayez d'atteindre une page, mais votre navigateur vous renvoie un message selon lequel il ne parvient pas à contacter le serveur en question. Or, vous êtes presque certain que cette adresse devrait répondre... Que faire ?

➤ Réponse :

Puisqu'il ne s'agit plus d'une erreur de syntaxe, la raison est ailleurs. Ce phénomène arrive fréquemment et pour plusieurs raisons. La plus fréquente est l'heure de pointe. En France ou en Belgique, entre 18 heures et 21 heures, le surf est une expérience pénible. Le réseau étant trop sollicité, pas mal de requêtes n'aboutissent pas au serveur voulu. Après un certain nombre d'essais, votre requête vous revient avec cette indication " serveur inexistant ". La seconde raison est que le serveur est peut-être déconnecté pour raison de mise à jour (ça arrive souvent). Dans ce cas, il n'y a guère d'autre solution que l'attente. Les bouchons s'estompent à partir de 22 heures. Les mises à jour de serveur n'excèdent généralement pas 24 heures.

✓ Le nom de domaine n'existe pas.
Pourtant, il devrait...

➤ Question :

Vous tapez une adresse classique et, immédiatement, votre serveur vous renvoie un message " The
server does not have a DNS Entry ". Frustrant, surtout si ce serveur existe bel et bien. Qu'en est-il ?

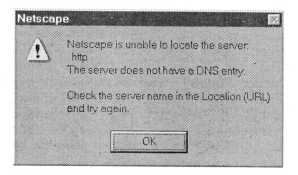

➤ Réponse :

Si pour ce même symptôme, vous avez déjà pu éli-
miner les raisons précitées. Il se peut que le serveur de noms de domaines de votre fournisseur
d'accès soit trop sollicité au moment où vous
effectuez votre requête. La chose est plutôt rare
mais je l'ai déjà observée en quelques occasions.
Réessayez une ou deux fois. Si le problème persiste, c'est qu'il y a effectivement un problème de
correspondance dans la table de correspondance
d'adresses de votre fournisseur d'accès (personne
n'est parfait :-)). Dans ce cas, j'essaie généralement de faire le tour en passant par un moteur de

recherche. Si le serveur existe, ça marche à tous les coups. Malgré tout, pensez à vérifier si le serveur recherché n'est pas trop récent (ou en version bêta), dans ce cas son adresse IP ne figure peut-être pas encore dans les tables de correspondance de votre fournisseur d'accès.

✓ Transmettre une adresse de site

➤ Question :

Vous avez découvert un site intéressant, vous voulez en faire profiter un copain. Comment faire ?

➤ Réponse :

Envoyez-lui l'adresse du site par courrier électronique. Avec Internet Explorer (3.0 ou 4.0), dans le menu *Fichier*, choisissez la commande *Envoyer à* et, dans la liste, sélectionnez *Destinataire*. La messagerie (Internet Mail, Outlook Express, etc.) est lancée avec une fenêtre de création d'un message avec un lien vers le site et l'adresse. Lorsqu'il recevra le mail, votre correspondant, n'aura qu'à cliquer sur le lien pour lancer son navigateur qui le mènera tout droit vers le site. Avec Netscape (3.0 ou 4.0), vous obtiendrez le même résultat avec la commande *Fichier-Envoyer le document (File-Send Page)*.

✓ *Quelle adresse se cache derrière le lien ?*

➤ *Question :*

Lorsque vous naviguez sur une page Web et que le pointeur de la souris prend la forme d'une main, cela signifie que le curseur passe sur un lien. Il suffit de cliquer pour vous rendre à l'adresse en question. Comment connaître cette adresse ?

➤ *Réponse :*

Si vous utilisez Internet Explorer 4.0, regardez dans le coin inférieur gauche de la fenêtre. L'adresse abrégée du lien y est affichée. Par exemple «Raccourci vers New». Guère efficace puisque cela ne vous indique pas l'adresse exacte de cette page. Est-elle sur le même site ou sur un autre ? Demandez plutôt l'affichage de l'adresse complète. Choisissez la commande *Affichage-Options* et cliquez sur l'onglet *Avancé*. Désactivez l'option *Afficher les URL simplifiées*. Ceci fait, regardez dans la fenêtre de navigation le coin inférieur gauche de la fenêtre : vous y lisez " Raccourci vers http://www.shareware.com/New ". Ce qui est quand même plus clair. Netscape est plus simple. L'adresse du lien est affichée dans la barre d'état. Le seul moment où cela ne marche plus, c'est lorsqu'une applet Java utilise la barre d'état de Netscape pour y faire défiler un message.

✓ Charger les images à la demande

➤ *Question :*

Lorsqu'Internet est saturé, le téléchargement des images ralentit la navigation. Peut-on l'éviter ?

➤ *Réponse :*

Avec Netscape, désactivez le chargement automatique des images *Edition/ Préférences/Avancées/ Charger automatiquement les images... (Edit/ Preferences/Advanced/Automa-tically load images)*. Un cadre vide remplace alors l'image. Lorsqu'un intitulé d'image vous intéresse, cliquez dessus avec le bouton droit de la souris et choisissez la commande *Afficher les images (Show Image)*. Si vous désirez voir toutes les images d'une page, cliquez sur le bouton *Images* apparu dans la barre d'outils dès l'instant où vous avez désactivé le chargement automatique des images.

Avec I.E. 4.0, désactivez le chargement des images en décochant l'option *Afficher les images*, option que l'on atteint par *Affichage/Options Internet/ Avancées/Multimédia*. Par la suite si une image vous intéresse, cliquez également dessus avec le bouton droit de la souris et choisissez la commande *Afficher image*.

✓ Retrouver une adresse absente du bookmark

➤ *Question :*

Après quelques heures de surf, vous êtes passé par un fameux paquet de sites et vous voudriez bien

en retrouver un qui n'est pas dans votre bookmark. Comment faire ?

➤ *Réponse :*

Avec Netscape, c'est très simple. Dans la zone de
l'adresse, entrez simplement *about:global* qui res-
titue la liste des dernières adresses visitées ainsi
que la date et l'heure de la connexion. Enregistrez
le résultat pour y faire référence par la suite. Avec
I.E. 4.0, c'est à peine plus compliqué. Il suffit d'afficher le cache en activant la commande *Affi-*

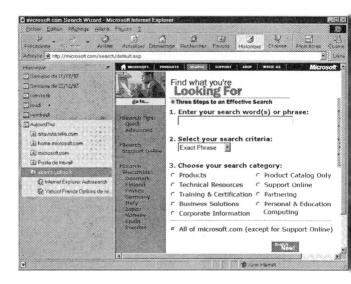

chage/Volet d'exploration/Historique.

Toutes les adresses par lesquelles vous êtes passé y
ont été enregistrées.

✓ Par où je passe ?

➤ Question :

Vous n'arrêtez pas de pester contre votre fournisseur d'accès ? Vous désirez accéder à un site qui se refuse obstinément à vous ? Vous n'en comprenez pas la raison ? Comment savoir par où passe votre requête ?

➤ Réponse :

Accompagnant Windows 95, une commande DOS, Tracert, trace la route d'une demande de connexion. Tracert sert à identifier le nombre d'étapes nécessaires avant d'être effectivement connecté à un site appelé. Pour chaque étape, le temps d'accès au nœud en question est affiché. Vous comprendrez vite où se trouvent les engorgements. Cette commande est également une bonne solution pour identifier l'adresse IP de votre fournisseur d'accès.

- Lancez une connexion TCP/IP et connectez-vous à votre fournisseur d'accès.

- Ouvrez une fenêtre de commandes MS-Dos (*Démarrer/Programmes/Commandes MS-Dos*).

- Tapez la ligne de commande suivante : *tracert adresseIP_site*

✓ La syntaxe, les options

La commande Tracert obéit à la syntaxe suivante : Tracert [-d] [-h maximum_sauts] [-j liste_hôte] [-w timeout] adresseIP_site

Description des options

-d : permet de ne pas afficher le nom du site correspondant aux adresses IP. On obtient par exemple [193.149.100.1] au lieu de thorin.francenet.fr [193.149.100.1].

-h maximum_sauts : définit le nombre maximum de sauts entre serveur avant d'atteindre l'objectif.

-j liste_hôte : ne met pas en mémoire la liste des étapes de connexion.

-w timeout : définit le timeout en millisecondes pour chaque réponse.

adresseIP_site : est l'adresse IP du site à retrouver. Stricto sensu, il s'agit de l'adresse numérique du site (exemple [193.149.100.1]). Mais il est également possible d'utiliser le nom de domaine du site (exemple : thorin.francenet.fr ou mail.skynet.be).

➤ *Exemple :*

Résultat d'un accès au site français de Monaco Télématique à partir d'Infonie en Belgique avec la commande : tracert ares-mctel.fr

Tracing route to ares.mctel.fr [194.5.73.12]
over a maximum of 30 hops :

1	*	*	*	Request timed out.
2	135 ms	127 ms	129 ms	10.192.200.254
3	164 ms	150 ms	150 ms	news.infonie.be [10.2.6.10]
4	135 ms	128 ms	126 ms	194.78.67.209
5	141 ms	138 ms	140 ms	cs6-e0.brussels.interpac.be [193.53.125.6]
6	140 ms	134 ms	189 ms	cs1-e0.brussels.interpac.be [193.53.125.1]
7	175 ms	134 ms	138 ms	194.78.255.198
8	279 ms	212 ms	177 ms	194.72.27.141
9	334 ms	300 ms	315 ms	194.72.25.17
10	264 ms	246 ms	279 ms	194.72.24.97
11	484 ms	425 ms	471 ms	194.72.24.157
12	445 ms	447 ms	433 ms	bordercore4-hssi0-0.WestOrange.mci.net [166.48.11.249]
13	431 ms	465 ms	331 ms	HssiX-0.SR1.EWR1.Alter.Net [206.157.77.98]
14	292 ms	332 ms	415 ms	HssiX-0.SR1.EWR1.Alter.Net [206.157.77.98]
15	349 ms	366 ms	349 ms	431.atm11-0.cr1.ewr1.alter.net [137.39.13.226]
16	499 ms	466 ms	446 ms	105.Hssi5-0.CR1.LND1.Alter.Net [137.39.69.201]
17	449 ms	593 ms	504 ms	167.Hssi10-0.GW1.MCM1.Alter.Net [146.188.2.182]
18	*	483 ms	*	ares.mctel.fr [194.5.73.12]
19	588 ms	*	499 ms	ares.mctel.fr [194.5.73.12]

Trace complete.

On constate que la requête reste coincée une première fois sur le serveur identifié par le numéro 194.72.24.xx et une seconde fois sur le serveur HssiX-0.SR1.EWR1.Alter.Net.

✓ Qui est responsable du site ?

➤ Question :

Comment savoir qui est le responsable des
domaines se terminant par .com, .org, .net, .edu
et .gov ? Comment savoir à quelle date le serveur
est devenu opérationnel ?

➤ Réponse :

Pour le savoir, connectez-vous à l'adresse
http://rs.internic.net/cgi-bin/whois. Dans la zone
de texte, entrez uniquement le nom de domaine,
par exemple : yahoo.com (sans le triple w) et
enfoncez la touche *Entrée*. Les informations admi-
nistratives du domaine seront affichées.

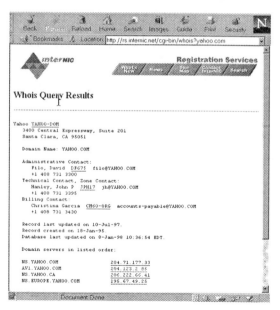

Malheureusement, ce service n'est pas disponible pour les domaines régionaux, c'est-à-dire ceux dont le nom se termine par les deux ou trois lettres d'un pays (be, fr, ca, ...). Seuls les domaines de second niveau sont disponibles.

✓ *Le serveur désiré répond-il ?*

➤ *Question :*

Vous vous échinez à vous connecter à un site qui met un temps infini à vous répondre. A force, vous vous demandez s'il répondra un jour où l'autre.

➤ *Réponse :*

Le ping, tous les sous-mariniers connaissent. Un coup de sonar dans le vide océanique qui, lorsqu'il rencontre un obstacle, vous renseigne sur la distance à laquelle l'objet se trouve. Le ping du Dos répond à une demande similaire. A savoir le temps de réponses des sites Internet. La commande vous donne une idée du temps qu'il vous faut pour vous connecter à un site précis. Vous saurez dès lors à qui imputer les longs délais d'attente, à votre fournisseur d'accès si la réponse au ping que vous lui envoyez se fait attendre ou au réseau si le ping vers un site visé renvoie des délais sans aucune proportion avec ceux renvoyés par votre fournisseur d'accès. Dans ce cas, essayez la commande *Tracert* (voir page 129) pour voir où se perd la demande d'accès.

La commande *Ping* est capable de tester toute adresse IP, prévoyez simplement un timeout très important lorsque vous savez qu'elle ne pourra être atteinte rapidement. Très important, c'est combien me direz-vous ? 1500 millisecondes feront l'affaire.

Pour envoyer un ping :

- Lancez une connexion *TCP/IP* et connectez-vous à votre fournisseur d'accès.

- Ouvrez une fenêtre de commandes MS-Dos (*Démarrer/Programmes/Commandes MS-Dos*).

- Tapez la ligne de commande suivante :

    ping nom_du_site_à_atteindre

Le mieux est d'introduire le nom du site à atteindre sous forme d'adresse IP numérique [193.149.100.1]. On peut également se contenter de donner le nom de domaine, mais ce sont souvent des alias qui ne donnent rien (voir point suivant pour savoir comment trouver l'adresse IP d'un site Internet).

➤ *Exemple :*

PING mail.skynet.be

➤ *Résultat :*

Pinging skycorp.skynet.be [193.210.156.111] with 32 bytes of data:
Reply from 193.210.156.111: bytes=32 time=177ms TTL=252
Reply from 193.210.156.111: bytes=32 time=175ms TTL=252
Reply from 193.210.156.111: bytes=32 time=196ms TTL=252
Reply from 193.210.156.111: bytes=32 time=145ms TTL=252

✓ Comment connaître l'adresse IP d'un site ?

➤ Question :

Vous cherchez à tester la connexion à un site via la commande Tracert ou la commande Ping et il vous faut l'adresse IP (l'adresse numérique) du site. Que faire ?

➤ Réponse :

Rendez-vous sur le site d'Interpol à l'adresse suivante :

http://freetown.com/ftbin/catinterpol.cgi

Trois services sont disponibles :

Le premier renvoie l'adresse IP d'un nom de domaine, par exemple imaginet.fr ;

Le deuxième service permet de savoir qui gère un site .gov, .org, .com, .edu ou .net.

Le troisième vous permet de connaître votre propre adresse IP, celle qui vous a été attribuée par le serveur lorsque vous vous êtes connecté.

Pour ce type de service, une autre adresse intéressante est :

http://www.slac.stanford.edu/cgi-bin/nph-trace route.pl

✓ Où êtes-vous ?

➤ Question :

Vous surfez de-ci de-là. Et à un moment donné vous vous demandez où diable est localisé le serveur sur lequel vous êtes. En Europe, en Australie, aux USA ?

➤ Réponse :

L'université d'Illinois permet de visualiser la position géographique du site. Rendez-vous à l'adresse http://cello.cs.uiuc.edu/cgi-bin/slamm/ip2ll/.

• Dans la zone intitulée *Enter a host name, domain name, or IP Address*, tapez l'adresse du site choisi, puis validez.

• Les coordonnées en longitude et en latitude de l'adresse sont affichées après quelques secondes. Si vous désirez situer le serveur sur une mappemonde, choisissez *Map viewer* ou *Tiger Mapping Service*.

• Malheureusement l'option *Tiger Mapping Service*, plus précise, est réservée aux Etats-Unis. Les autres pays ne sont encore représentés que par leur capitale.

✓ Retour arrière : dix pages à la fois

➤ Question :

Lassant ! Les versions 3.0 de Netscape Navigator et d'Internet Explorer obligeaient le passage pas à pas vers les pages déjà vues. La commande

Précédente (*Back*) peut s'avérer très lente alors que théoriquement les pages sont dans le cache et que tout devrait donc aller plus vite. Une page, ça va, mais dix... bonjour l'angoisse.

➤ *Réponse :*

Pour les deux navigateurs (version 4.0), les touches *Back* et *Forward* (*Précédente* et *Suivante*), se voient enrichies d'une fonction très pratique. A savoir, un menu déroulant contenant la liste des différentes pages que vous venez de visiter.

Que ce soit avec Netscape 4.0 ou avec I.E. 4.0, deux solutions s'offrent à vous :

Cliquer avec le bouton droit de la souris sur l'une des deux touches *Back* ou *Forward* (*Précédente* et *Suivante*).

Cliquer pendant 2 ou 3 secondes avec le bouton gauche de la souris sur ces mêmes icônes.

Sélectionnez le lien qui vous intéresse.

✓ *Est-il possible de rapatrier des images sur votre PC ?*

➤ *Question :*

La force, la grandeur et l'intérêt du Web viennent incontestablement de sa faculté à afficher des images. Certaines sont d'ailleurs admirables. A un point tel que vous vous demandez s'il est possible de les rapatrier sur votre PC ?

onse :

Non seulement, c'est faisable, mais c'est facile à faire. La première solution consiste à sauvegarder l'image sur votre disque dur.

- Cliquez avec le bouton droit de la souris sur l'image de votre choix, puis choisissez l'option *Enregistrer l'image sous (Save Image as...).*

- Indiquez le dossier dans lequel elle doit aller. Dans la fenêtre *Nom*, validez le nom de l'image ou saisissez le nom du fichier sous lequel elle se cachera. Pour terminer, cliquez sur le bouton *Enregistrer*.

Veillez simplement à ce que l'extension que vous donnerez à l'image soit la même que celle de son format d'origine.

➤ *Une autre solution :*

- Cliquez sur l'illustration convoitée avec le bouton droit de la souris, puis lancez la commande *Copier*. L'image est alors provisoirement stockée dans le Presse-papiers.

- Pour la récupérer, il suffit d'utiliser le menu *Edition/Coller* de n'importe quel logiciel de destination.

Au passage, veillez au respect du droit d'auteur. Bon nombre d'images, notamment les photos, sont soumises à un droit d'auteur. Pour une utilisation privée, pas de problème. Pour une plus large diffusion, mieux vaut contacter l'auteur.

✓ *Image = papier peint*

➤ *Question :*

Et pourquoi cette magnifique toile de Dali ne deviendrait-elle pas mon fond d'écran ?

➤ *Réponse :*

Les possesseurs de PC ont désormais la possibilité de remplacer le papier peint de leur bureau par l'image choisie. Cette fois encore, cliquez sur la photo à l'aide du bouton droit de la souris, puis choisissez l'option *Etablir en tant que papier peint* (I.E. 4.0) ou *Set As Wallpaper* (Netscape 4.0).

✓ *Surfer hors connexion*

➤ *Question :*

Surfer coûte cher, très cher même. N'y a-t-il pas moyen de charger les pages sur le disque dur puis de les visualiser hors connexion ?

➤ *Réponse :*

C'est possible. Ne comptez pas trop sur vos navigateurs respectifs pour réaliser ce tour de force. La gestion du cache disque ne donne pas de bons résultats, chez l'un comme chez l'autre. Il faut se tourner vers des produits ad hoc. Deux logiciels ont retenu mon attention : en français, il existe MemoWeb 1.75 pour PC (http://www.memoweb.com/fr/trial.htm) ; en anglais, je recommanderais plutôt WebWhacker 3 pour Mac et PC (http://www.bluesquirrel.com/whacker/).

eux logiciels sont destinés à capturer les pages web et à les transcrire sur votre disque dur. Les résultats sont étonnants. Dans les deux cas, il existe une version d'évaluation du produit. Le principe est de charger en mémoire les textes HTML, les fichiers graphiques et les pages recouvrant les liens internes. Est-ce plus rapide à télécharger ? Oui, car il n'y a aucun temps d'attente lié à vos interventions et à votre lecture. Quant à l'avantage lors de la consultation, il est évident.

Attention, il n'est pas rare qu'un site complet fasse plus de 5 Mo. Télécharger tous les sites qui vous intéressent mangera un énorme espace sur votre disque dur.

✓ Stocker les liens sur votre bureau

➤ Question :

Lors d'un surf, il n'est pas rare de se dire que l'un ou l'autre lien serait bien intéressant à visiter. Mais vous avez autre chose à faire que flâner, vous vous déconnectez et une semaine plus tard, il ne vous est plus possible de retrouver l'adresse en question. Y a-t-il un moyen rapide de stocker ces adresses ?

➤ Réponse :

La solution proposée ici fonctionne avec Internet Explorer 4.0 et Netscape 4.0. Afin de ne rater aucune page, il suffit de créer un raccourci de son lien hypertexte et de le placer sur le Bureau.

- Pour ne pas encombrer trop le bureau créez un dossier *Liens*.

- Placez-le sur le bord du bureau et diminuez la taille de la fenêtre du navigateur. Le dossier Liens doit être visible, même lorsque le navigateur est affiché.

- Pour y placer une adresse ou un lien hypertexte, cliquez sur le lien avec le bouton gauche de la souris et faites-le glisser dans le dossier Liens placé sur le Bureau. C'est tout !

- Par la suite, il vous suffira de double-cliquer sur l'icône raccourci que vous venez de créer pour qu'automatiquement le navigateur se connecte à la page concernée.

✓ *Stocker les liens dans un document Word ou Excel*

➤ *Question :*

Même problème que ci-dessus mais autre solution.

➤ *Réponse :*

Placez le pointeur sur le nom du site et cliquez dessus avec le bouton droit de la souris.

Dans le menu contextuel qui s'affiche, choisissez la commande *Copy Link Location*. L'adresse est alors stockée dans le Presse-papiers. Activez le document Word ou le bloc-notes, un simple coller (Ctrl-V) place aussitôt l'adresse (URL) dans le document ouvert.

✓ Combien de temps...

➤ Question :

Le surf coûte cher :o(, on l'a déjà dit. Une maîtrise de la durée de connexion n'est donc pas un luxe. Existe-t-il un utilitaire capable de comptabiliser et de garder en mémoire le temps passé sur le Web ?

➤ Réponse :

Oui ! Il existe. En tout cas pour Windows 95. Il se nomme Ws-Timer.

On peut le télécharger à l'adresse :
ftp://ftp.interpac.be/pub/winsock-l/Windows95/
Time_Log/.

Vous téléchargerez alors un fichier zippé. Veillez donc à disposer de WinZip pour le décompacter.

✓ Combien d'images sur cette page ?

➤ Question :

Une adresse est très lente à s'afficher alors que la connexion semble fonctionner plein pot. Quid ?

➤ Réponse :

C'est peut-être parce que cette page est composée d'un grand nombre d'images. Si vous désirez le savoir, tapez la touche de raccourci Ctrl-Alt-T si vous travaillez avec Netscape 4.0. Une boîte de dialogue affiche l'état de l'adresse en question et donne, entre autres choses, le nombre d'images qui doivent être téléchargées. I.E. 4.0 est plus civilisé qui affiche le nombre d'éléments à télécharger dans la barre d'état.

✓ Augmenter la capacité du cache

➤ Question :

Vous passez régulièrement sur certaines pages et on vous a expliqué que " normalement, elles devraient être dans le cache et que leur accès devrait être plus rapide ", mais il n'en est rien.

➤ Réponse :

Il faut ici parler du cache du navigateur. Qu'est-ce ? Tout simplement, une partie du disque dur utilisée par le navigateur pour y placer les fichiers liés à une page HTML (les pages Web). On y trouve une foule de petits éléments tels que les pages HTML mais aussi les objets vers lesquels les liens vous renvoient : image .gif, vidéo, son, etc, ou même les cookies (nous reviendrons sur ces petites bêtes). Le problème du cache est qu'il est vite plein. Un cache de 5 Mo suffit à placer les éléments d'une cinquantaine de pages, tout au plus. Et encore, ces cinquante pages ne représentent-elles qu'une quinzaine de sites. La solution consiste donc à augmenter la capacité du cache disque dont dispose le navigateur.

Pour Netscape :

Cliquez sur le menu *Edition* (*Edit*), puis sur la commande *Préférences* (*Preferences*).

Dans la colonne de gauche *Catégorie* (*Category*), cliquez sur l'item *Avancée* (*Advanced*), puis sur l'item *Cache*.

Netscape permet de gérer un cache utilisé par la mémoire vive et un cache sur le disque dur. Si votre disque dur est d'une capacité de 2 Go, vous pouvez sans trop de risques porter la taille du cache à 40 Mo.

Les utilisateurs expérimentés préféreront carrément créer une partition de 100 Mo et y placer le dossier qui recevra le cache disque. En effet, le cache du navigateur est essentiellement composé de petits fichiers qui favorisent la fragmentation du disque dur.

Pour Internet Explorer :

Cliquez sur le menu *Affichage,* puis sur la commande *Options Internet.*

Dans l'onglet *Général,* cliquez sur le bouton *Paramètres* de la zone *Fichiers Internet temporaires.*

Faites glisser le curseur vers la droite pour augmenter la capacité du cache.

Attention à ne pas exagérer car votre disque dur ne dispose peut-être plus de la capacité nécessaire.

✓ Economie d'argent

➤ *Question :*

Vous désirez naviguer hors connexion mais l'achat d'un Memoweb ou d'un WebWhacker n'entre pas dans vos plans. Dès lors, comment conserver le contenu d'une page HTML ?

➤ *Réponse :*

La solution n'est que partielle mais elle a le mérite d'exister. Il suffit de sauvegarder la page en question grâce à la commande *Fichier/Enregistrer sous (File/Save as)* aussi valable pour Netscape 4.0 que pour I.E. 4.0. Le texte de la page est alors sauvegardé sur le disque dur. La faiblesse de cette solution réside dans le fait que ni les images, ni les URL associés ne sont sauvegardés. Ils sont cependant conservés quelque temps en mémoire ou dans le cache disque. Si vous désirez donner un accès direct à ce texte par un traitement de texte, il suffit de choisir le format *Plain Text* (Type : Plain Text (*.txt)) lorsque vous effectuez la sauvegarde de la page.

✓ *Changer de page de démarrage*

....

➤ *Question :*

Chaque fois que vous vous connectez, c'est la même page qui est inlassablement chargée. D'un côté, http://home.microsoft.com/intl/fr/, de l'autre http://www.netscape.com. C'est lassant et ça prend du temps. Peut-on faire autrement ?

➤ *Réponse :*

Vous avez le choix. Soit vous vous connectez sur une page blanche, soit vous choisissez une autre adresse que celle imposée par le navigateur.

Pour Netscape Navigator 4.0 :

- Cliquez sur le menu *Edition* (*Edit*), puis sur la commande *Préférences* (*Preferences)*.

- Dans la zone de gauche *Catégorie (Category)*, cliquez sur l'item *Navigator*.

- Si vous désirez démarrer sur une page vierge, choisissez l'option *Page vierge* (*Blank Page)*.

- Si vous désirez démarrer sur une autre page, saisissez son adresse dans la zone *Adresse de la page d'accueil (Home Page/Location)*, puis cliquez sur l'option *Page d'accueil (Home Page)* dans la zone *Navigator démarre avec (Navigator starts with)*.

Pour Internet Explorer 4.0

- Activez la commande *Affichage/Options Internet*.

- Dans l'onglet Général, si vous désirez démarrer sur une page vierge, cliquez sur le bouton *Page vierge* dans la zone *Page de démarrage*. Vous devez alors voir apparaître l'intitulé about:*blank* dans la zone *Adresse*.

- Si vous désirez démarrer sur une autre page, connectez-vous à cette adresse, accédez de nouveau à cet onglet *Général*, puis cliquez sur le bouton *Page en cours*.

✓ *Visualisez les caractères d'un alphabet étranger*

➤ *Question :*

Que faire lorsqu'on est confronté au problème de la visualisation des alphabets étrangers (russe, japonais, chinois, coréen) ?

➤ *Réponse :*

Dans I.E. 4.0, il suffit d'ajouter la langue en question à celles qui sont gérées. Pour ce faire :

- Cliquez sur le menu *Affichage* et lancez la commande *Options Internet*.

- Dans l'onglet *Général*, cliquez sur *Langues*.

- Choisissez la langue concernée dans la liste et cliquez sur le bouton *Ajouter*.

Dans Netscape Communicator 4.0 :

- Activez la commande *Edition/Préférences* (*Edit/Preferences*).

- Choisissez l'item *Navigator* dans la liste des catégories, puis l'item *Langues* (*Language*).

- Là, cliquez sur *Ajouter* (*Add*), choisissez la

langue à ajouter et validez.

Il vous reste alors à mettre la main sur le jeu de caractères nécessaires et à l'ajouter à partir de l'onglet *Polices*.

Sous Windows, cela revient à ajouter une police de caractères au système *(Panneau de configuration/Polices)*.

✓ *Mettez en place le contrôle parental*

➤ *Question :*

Vos enfants sont devenus des accros du Web. Le hic, c'est qu'on y trouve le meilleur et le pire. Sites pornographiques, sites révisionnistes, néo-nazis, etc.

➤ *Réponse :*

Une solution existe du côté d'Internet Explorer 4.0 où le contrôle parental est intégré. Vos choix ne pourront être modifiés qu'en introduisant un mot de passe. Ce qui vous met relativement à l'abri des tentatives de vos rejetons. C'est le RSAC (Recreational Software Advisory Council) qui émet des recommandations en matière de contrôle parental. Quatre catégories de contrôle ont été définies: langage, nudité, sexe et violence. A chacune de ces catégories correspondent cinq niveaux. Pour le langage cela va de l'argot inoffensif, au langage grossier ou explicite en passant par les jurons très modérés et modérés. Si vous voulez en savoir plus sur les méthodes de classification des sites en fonction des critères, rendez-vous à l'adresse http://www.rsac.org/ratingsv01.html. Son contenu est hélas en anglais.

Comment ça marche en pratique ?

Réponse : bof ! C'est un organisme privé indépendant qui se charge de définir la catégorie à
laquelle appartient un site Web. Mais vous
imaginez le boulot. L'auteur du site, s'il y pense,
n'a plus alors qu'à placer la catégorie en question
dans l'en-tête de sa page Web. Il y ajoute les réfé-
rences dudit organisme et le label de qualité que
l'organisme lui a communiqué.

De votre côté, lorsque le navigateur rencontrera
une page Web avec une étiquette, il procédera à
une vérification auprès de l'organisme pour
s'assurer qu'il peut l'afficher.

Ça, c'est le côté pile. Celui qui fonctionne vaille
que vaille. Le côté face est celui représenté par les
innombrables sites qui n'ont pas été classifiés par
l'organisme indépendant, ne fût-ce que parce que
pour obtenir ce label, il faut payer.

Lorsque le navigateur rencontre une page sans
étiquette, l'affichage de cette page dépendra de
l'activation d'une option spécifique. Nous allons le
voir.

Dans I.E. 4.0, le contrôle d'accès est activé de la
manière suivante :

- Ouvrez le menu *Affichage*, et choisissez la
  commande *Options Internet*.

- Activez l'onglet *Contenu*.

- Dans la zone *Gestionnaire d'accès*, cliquez sur
  le bouton *Activer*.

- Saisissez un mot de passe, confirmez-le et validez.

- Sélectionnez l'intitulé *Langage* et déplacez le curseur de la zone *Contrôle d'accès* vers la droite. Cinq niveaux sont proposés. Ils sont assez explicites même si chacun peut évaluer les niveaux selon une optique différente. Procédez de la même façon pour les autres catégories.

- Cliquez sur l'onglet *Général* et cochez l'intitulé *Les utilisateurs peuvent...* Vous pourrez dès lors voir les pages Web ne possédant aucun label. C'est-à-dire l'immense majorité. Si l'option est désactivée, le navigateur n'affichera pas les pages ne disposant pas d'une étiquette.

✓ *Voir ce qui doit être vu.*
  Entendre ce qui doit être entendu

➤ *Question :*

A force de surfer, vous vous êtes rendu compte que sur certaines pages on vous invitait à télécharger des plug-ins. Qu'est-ce ?

➤ *Réponse :*

Les plug-ins sont des petits logiciels qui viennent se greffer sur le navigateur afin de lui ajouter des fonctions supplémentaires. Généralement, ils servent à vous montrer ce que les créateurs veulent vous faire voir ou vous faire entendre. Pourquoi sont-ils nécessaires ? Simplement parce qu'on ne peut pas penser à tout et que les navigateurs n'intègrent pas toutes les fonctions possibles. Ces plug-ins existent depuis Netscape Navigator 2. Il en existe aujourd'hui près de 200. Le plus simple est encore de se rendre sur le site de Netscape (http://home.fr.netscape.com/fr/comprod/products/navigator/version_2.0/plugins/index.html) où ils sont presque tous rassemblés et disponibles pour le téléchargement. L'annexe 3 définit l'utilité des plug-ins les plus courants et vous donne l'adresse où vous pouvez les télécharger. Au passage, notez que certains plug-ins n'ont pas besoin d'être téléchargés car ils sont déjà intégrés dans le navigateur.

La quasi-totalité des plug-ins fonctionnent avec les versions 3 et 4 de Netscape Navigator et d'Internet Explorer.

Dans Netscape, si vous désirez savoir quels plug-ins sont installés sur votre machine, saisissez la commande about:plugins dans la zone d'adresses.

Encadré : Active X

Outre le fait de reconnaître les plug-ins, Internet Explorer utilise également des contrôles ActiveX, des logiciels capables de provoquer tout, n'importe quoi, et le reste : le déroulement d'une animation, l'audition d'une séquence sonore, l'activation d'une dll et j'en passe. Dans sa version 3.0, Internet Explorer souffrait d'ailleurs énormément de ces chevaux de Troie qui rendaient le logiciel tout à fait nul en matière de sécurité. La version 4.0 a recollé les morceaux. Seul Internet Explorer reconnaît les contrôles ActiveX. Netscape les refuse, en tout cas, dans la version 4.0. Quelques ActiveX accompagnent Internet Explorer en standard. Pour télécharger les contrôles les plus populaires, visitez le site de CNet consacré aux ActiveX: http://www.activex.com.

✓ Acheter sur le Net : est-ce sûr ?

➤ Question :

Acheter des fleurs, des disques ou des livres sur Internet, c'est possible. Mais au moment de payer, on vous invite à fournir le numéro de votre carte de crédit. Est-ce bien raisonnable ? Votre code ne sera-t-il pas malhonnêtement exploité ?

➤ *Réponse :*

Il ne faut pas le cacher, le risque existe. Ceci étant, les statistiques actuelles démontrent que la fraude à la carte de crédit sur Internet est légèrement inférieure à la fraude traditionnelle, laquelle oscille autour de 3%. De manière générale, la sécurité est assurée par des clés d'encryptage du numéro de la carte de crédit. Un site est dit sécurisé, si son adresse commence par https://. L'identification peut également se faire visuellement grâce au navigateur. Avec Netscape Navigator, la clé cassée dans le coin inférieur gauche de la fenêtre est recollée en un seul morceau. Au sein de la fenêtre d'Internet Explorer, un cadenas fermé apparaît dans le coin inférieur droit de la fenêtre. Ces sites offrent davantage de garantie de sécurité que les sites ouverts dont l'adresse commence par http:// (sans le s). Vous y verrez souvent apparaître le terme " paiement sécurisé ".

✓ *Recherche sur l'Internet*

➤ *Question :*

Vous ne connaissez pas l'adresse d'un moteur de recherche et vous désirez effectuer des recherches ?

➤ *Réponse :*

Si votre navigateur est Internet Explorer (3 ou 4), il suffit d'entrer un point d'interrogation suivi d'un blanc puis du mot clé sur lequel vous voulez effectuer une recherche pour qu'Internet Explorer se branche sur la base de données Microsoft et recherche les sites en rapport avec votre thème. Juste en dessous, vous ne pourrez louper le bouton vous permettant de vous connecter à Yahoo, le plus célèbre moteur de recherche.

Avec Netscape Communicator 4.0, ces recherches peuvent également se faire en direct. Il suffit de taper les mots clés en lieu et place de l'adresse habituelle. Seule contrainte, il vous faudra commencer par le mot Search. Il remplace le point d'interrogation d'I.E. 4.0. Exemple : Search promotions vacances. Le Navigateur transmettra votre requête de façon aléatoire à Yahoo, Lycos, Excite ou Infoseek.

✓ *Recherche sur l'Internet (bis)*

➤ *Question :*

Yahoo ne vous convient pas. Y a-t-il d'autres moteurs directement accessibles ?

➤ *Réponse :*

Si votre navigateur est Internet Explorer 4, il vous suffit d'activer la commande Affichage/Volet d'exploration recherche pour que l'écran se divise en deux. Dans la zone de gauche, sont affichés les logos de quelques-uns des meilleurs moteurs de recherche. Il suffit d'entrer un terme et de cliquer sur un logo pour que la recherche soit lancée sur le moteur de recherche en question. L'adresse qui se niche derrière cette subdivision est http://www.fr.msn.com/ie4/search/searchmain.asp et on peut très bien l'atteindre avec Netscape (ironie...).

✓ Recherche étendue

➤ Question :

Le bouton _Search_ du site http://microsoft.com (la version US, la plus fournie...) donne accès à un moteur de recherche très puissant. Si puissant qu'il vous renvoie parfois une pléthore inattendue de liens. Dans d'autres cas, le résultat de la recherche est famélique. Comment améliorer l'efficacité de vos recherches ?

➤ Réponse :

Il est possible de préciser vos recherches ou de les étendre avec des opérateurs très simples. Un exemple ? Saviez-vous qu'en saisissant simplement les trois premières lettres du mot suivies du caractère étoile, vous trouveriez tous les mots commençant par ces trois lettres. Rechercher net*, vous renverra donc tous les mots commençant par net : Netmeeting, Netcaster, etc. Un autre exemple ? L'opérateur Near vous permettra de trouver deux mots situés sur une même page. Plus ils sont proches l'un de l'autre, plus le taux de satisfaction du critère sera élevé. Dans certaines circonstances, cet opérateur est donc plus adapté que l'opérateur And qui se contente de vous signaler que les deux mots sont effectivement dans un même document.

✓ *Comment préciser une recherche ?*

➤ *Question :*

Le formulaire proposé dans la plupart des moteurs de recherche est assez nu. Un mot, deux mots et le tour est joué. Encore faut-il connaître la syntaxe pour des recherches plus savantes. En retour, la liste d'adresses est tellement volumineuse qu'elle en devient inutilisable. Comment préciser une recherche ?

➤ *Réponse :*

Derrière une page de garde très simple, la plupart des moteurs de recherche proposent des formulaires à partir desquels il est possible d'effectuer des recherches multi-critères. Voici l'adresse des pages en question pour quelques moteurs de recherche francophones.

Yahoo   http://search.yahoo.fr/search/fr/options

AltaVista http://altavista.telia.com/cgi-
          bin/telia?pg=aq&lang=fr&country=fr

Carrefour.net
          http://recherche.carrefour.net/recherche

Echo   http://www.echo.fr/recherche.html

Ecila   http://france.ecila.com/french/complex.html

Lokace   http://www.lokace.com/cgibin/lokace/avance

Nomade   http://www.nomade.fr/rechercher/

✓ L'agent de recherche

➤ Question :

Lorsqu'on ne connaît pas toutes les ficelles permettant de tirer la quintessence des moteurs de recherche, on ne peut que constater une chose : ces moteurs recensent tout et n'importe quoi. Il n'est pas rare de retrouver une même adresse dans la liste des résultats. Simplement, elle a eu le mérite de voir ses mots clés correspondre aux vôtres... sur des pages différentes. Il est également possible que ce moteur de recherche ne vous renvoie aucune adresse alors qu'un autre a quelques adresses en stock. Que faire ?

➤ Réponse :

La bonne méthode consiste simplement à utiliser un " méta-chercheur ", c'est-à-dire un moteur qui interroge les autres moteurs de recherche et vous renvoie une compilation des résultats. Une adresse ? Celle de MetaCrawler qui se niche en deux endroits distincts au niveau de l'adresse mais qui aboutissent aux mêmes pages : http://metacrawler.cs.washington.edu ou bien à http://www.metacrawler.com.

✓ Etre repris dans un moteur de recherche

➤ Question :

Comme des millions de personnes, vous avez décidé de créer votre propre page Web. Cette page, ainsi qu'un résumé succinct de son contenu, devrait être reprise par les moteurs de recherche habituels (Yahoo, Alta vista, etc.). Mais comment faire ?

➤ *Réponse :*

De manière générale, il suffit d'attendre. Tous les moteurs de recherche effectuent régulièrement un balayage du Web afin de remettre leur index à jour. Votre page y sera spontanément ajoutée. La plupart des moteurs utilisent les deux premières lignes du texte comme résumé. Il est cependant possible d'accélérer la manœuvre et de s'assurer d'être repris dans les moteurs de recherche grâce à Submit It, un site dont le rôle est de déclarer les pages aux moteurs de recherche. Son adresse : http://submit-it.com/ est prévue pour.

Les pros peuvent avoir recours à d'autres adresses telle que celle d'Impact & Solutions : http://www.topweb.com/referencement/index.html. Cliquez au choix sur *Référencement* (profession-nel et payant) ou *Gratuit* et remplissez le formu-laire d'inscription en ligne.

L'option gratuite permet d'être repris dans cinq moteurs de recherche réputés (Alta vista, Infoseek, etc.). Si vous décidez de payer, Impact & Solutions se chargent de vous référencer auprès de 300 moteurs.

✓ *Imposez vos caractères*

➤ *Question :*

Sur le Web, en quelques occasions, les pages sont illisibles en raison de la police de caractères utilisée. Comment imposer aux navigateurs le type de caractères qui vous convient le mieux ?

➤ *Réponse :*

Avec I.E. 4.0, changez la police d'affichage :

- Ouvrez le menu *Affichage* et cliquez sur la ligne *Options Internet...*

- Choisissez l'onglet *Général* et cliquez sur le bouton *Polices...*

- Choisissez le type d'alphabet que vous désirez, configurez la police à l'aide des menus déroulants et validez.

Avec Netscape Communicator 4.0

- Ouvrez le menu *Edition* (*Edit*) et sélectionnez-y la ligne *Préférences* (*Preferences*).

- Dans la liste des catégories, choisissez l'item *Aspect/Polices* (*Appearance/Fonts*).

- Faites votre choix au sein des listes déroulantes. Dans la section *un document spécifiera parfois ses propres polices* (*Sometimes a document will provide its own fonts*), cochez la ligne *Utiliser mes polices, non celles du document* (*Use my default fonts, overriding document – specified fonts*). Validez par OK.

✓ *Testez vos pages... et celles des autres*

➤ *Question :*

Un problème d'affichage sur une page ? Vous ne savez pas à qui vous le devez, à votre navigateur, à votre carte graphique ? Comment savoir si la page visitée est écrite en bon HTML ? Par ailleurs, si vous-même vous adonnez au plaisir de la composition de page Web, que diriez-vous de pouvoir tester la validité de votre page ?

➤ *Réponse :*

Différents sites testeurs existent. Le premier est à l'adresse http://www.halsoft.com/html-val-svc/. Il vérifie la validité de votre syntaxe en fonction des dernières spécifications HTML. Le programme utilisé peut être téléchargé.

A l'adresse http://wsk.eit.com/wsk/dist/doc/admin/webtest/verify_links.html, ce sont les liens que vous avez intégrés dans votre page qui sont testés.

Il reste Weblint à http://www.khoros.unm.edu/staff/neilb/weblint.html. Il repère les erreurs de syntaxe dans vos pages HTML.

✓ *Exporter une image*

➤ *Question :*

Lorsque vous voulez sauvegarder une image sur votre disque ni Nestcape 4.0, ni I.E. 4.0 ne permettent de sauvegarder les fichiers avec n'importe quel format. Que faire ?

➤ *Réponse :*

Avec Netscape Communicator 4.0, la solution est de faire ouvrir les images par un logiciel particulier : Paint Shop Pro ou autre Adobe Photoshop.

- Ouvrez le menu Edition (*Edit)* et sélectionnez-y la ligne *Préférences (Preferences).*

- Dans la liste des catégories, choisissez l'item *Navigator/Applications.*

- Dans la liste des objets, trouvez le format *Gif Image.* Cliquez sur ce dernier, puis sur le bouton *Edit.*

- Dans l'encadré *Géré par (Handled by)*, cliquez dans la zone *Application*, puis sur le bouton Parcourir (*Browse)*, retrouvez le chemin d'accès de l'application de votre choix (Paint Shop Pro, Photoshop, etc.) et validez.

- Faites de même avec l'objet *Jpeg Image.*

Par la suite, en cliquant sur une image avec le bouton droit de la souris, la commande View Image lancera automatiquement le logiciel de votre choix.

✓ *Pas de soft... pas de modem !*

Que faire lorsqu'on cherche la dernière version non boguée du pilote d'un périphérique ? Que faire pour trouver un add-on nécessaire au bon fonctionnement de votre modem ?

> *Réponse :*

Il existe plus d'une adresse où sont recensés bon nombre de constructeurs de périphériques. En voici une où il suffit de donner le nom du constructeur pour que son adresse vous soit retournée : http://www.alterego.fr/drivers.htm.

Si la recherche n'aboutit pas, essayez d'utiliser un utilitaire tel que WSArchie. Il peut effectuer des recherches à travers les serveurs FTP du monde entier. Téléchargez-le à http://www.telecom.at/OpticalArts/ClickAndSurf/WSArchieCopyright.html.

✓ *Recherche des pilotes récents*

> *Question :*

Les pilotes de périphériques (drivers) sont essentiels au bon fonctionnement de votre matériel informatique. Sans eux, les périphériques ne seraient pas identifiés par votre système d'exploitation. De temps à autre, parce qu'ils sont bogués ou parce qu'une mise à niveau s'impose, il vous faut mettre la main sur les nouveaux pilotes. Oui, mais où ?

> *Réponse :*

Sur le site Internet du constructeur évidemment. Encore faut-il connaître son adresse ! Visitez l'adresse http://www.conitech.com/windows/upmenu.asp. Ce site répertorie environ 800 fabricants de matériel informatique. Chacun d'eux y met ses derniers pilotes à votre disposition. Chaque semaine, le site se fait l'écho des nouveaux pilotes mis au point par les constructeurs.

✓ Halte aux cookies !

➤ *Question :*

Les cookies se multiplient. Ces cookies ne sont autres que des petits scripts qui mémorisent les différents sites que vous avez visités ou vos préférences sur un site donné. Destinés à vous assurer que les messages publicitaires qui vous seront adressés correspondront bien à vos goûts, ces cookies se révèlent très indiscrets. Ils peuvent aller jusqu'à enregistrer la durée de vos consultations vos sélections, etc. En bref, ils font de vous un vrai portrait-robot. Comment se débarrasser de ces indiscrets ?

➤ *Réponse :*

Avec I.E. 4.0

- Ouvrez le menu *Affichage* et cliquez sur la ligne *Options Internet...*

- Choisissez l'onglet *Avancées* et cochez l'option *Désactiver l'utilisation de tous les cookies*. Elle est surmontée d'un item *Cookies* accompagné d'un petit panneau de signalisation jaune...

Avec Netscape Communicator 4.0

- Ouvrez le menu *Edition (Edit)* et sélectionnez-y la ligne *Préférences (Preferences)*.

- Dans la liste des catégories, choisissez l'item *Avancées (Advanced)* et dans la zone *Cookies*, cochez l'option *Ne pas accepter les cookies (Disable cookies)*.

- Pour être tranquille, désactivez également la case en regard de *M'avertir avant d'accepter un cookie* (*Warn me before accepting a cookie).*

Si vous vous demandez combien de cookies on reçoit en une heure de surf intensif, cochez simplement *Demander une confirmation avant d'accepter les cookies* (I.E. 4.0) ou laissez cochée l'option *M'avertir avant d'accepter un cookie* (*Warn me before accepting a cookie)* (Netscape Communicator 4.0). Le résultat est plus qu'édifiant.

✓ *De Netscape à I.E. et inversement*

➤ *Question :*

On ne fait jamais confiance qu'à soi-même. A vrai dire, puisque l'un est gratuit et que l'autre l'est presque autant – on trouve souvent des versions gratuites de Netscape sur les CD-Roms des revues informatiques – le passage d'un navigateur à l'autre ne pose qu'un problème. Que faire de votre bookmark ?

➤ *Réponse :*

Si vous avez commencé par utiliser Netscape et que l'envie vous a pris de tester I.E. 4.0, vous aurez remarqué que I.E. 4.0 convertit le bookmark de Netscape lors de son installation. Mais il ne le fera plus par la suite, ne disposant pas d'une commande d'importation. Vous aurez également remarqué qu'il n'est pas possible d'importer les Favoris de I.E 4.0 dans Netscape. En bref, sans un utilitai-

re destiné à cette tâche, rien n'est facile. Il existe.
Son nom : NavEx. Son rôle : convertir les bookmarks. Son adresse :

http://www.download.com/PC/Result/TitleList/1,2,
0-a-0-0-b-1,00.html

✓ Où sont rangés les bookmarks (signets) ?

➤ Question :

Pour enregistrer une nouvelle adresse dans le
bookmark de Netscape Communicator, il suffit
d'activer la commande *Signets/Ajouter un signet
(Bookmark/Add Bookmark)*. Mais où est donc ran-
gée l'adresse ? N'importe où ?

➤ Réponse :

Organisez vos bookmarks (signets) en créant des
dossiers. Sous I.E. 4.0, rien de plus simple puisque
la commande *Favoris/Organiser les favoris* vous
donne accès à une interface de type Explorateur.
Le déplacement des fichiers, leur suppression
obéissent aux mêmes règles que celles qui régis-
sent le système.

Dans Netscape Communicator 4.0, ouvrez la
fenêtre des bookmarks avec la commande
*Signets/Modifier les signets (Bookmarks/Edit
bookmarks)*. Sélectionnez le dossier principal
(celui qui porte votre nom) et choisissez la commande *Fichier/Nouveau dossier (File/New Folder)*.
Entrez un nom pour ce nouveau dossier.
Complétez ensuite ce dossier en y faisant simplement glisser les adresses.

Choisissez ensuite le dossier qui recevra tous les nouveaux et futurs bookmarks que vous créerez. Sélectionnez ce dossier et choisissez la commande *Affichage/Ajouter les nouveaux signets dans ce dossier* (*View/Set as New Bookmarks Folder*). Lorsque vous ouvrez les Bookmarks, les dossiers sont suivis d'une petite flèche noire qui indique que plusieurs adresses y résident.

✓ *Identifiez les sites mis à jour*

➤ *Question :*

Les sites sur Internet changent rapidement de contenu. Vos Bookmarks ou Favoris font peut-être référence à des sites mis à jour depuis votre dernière visite. Comment le savoir ?

➤ *Réponse :*

Dans Netscape Communicator 4.0, choisissez la commande *Signets/Modifier les signets* (*Bookmarks/Edit bookmarks*). Dans la fenêtre des signets, sélectionnez chacun de ceux que vous désirez contrôler. N'en sélectionnez aucun si tous doivent être contrôlés. Choisissez la commande *Affichage/Mettre à jour les signets* (*View/Update Bookmarks*). Et cliquez sur le bouton *Start Checking*. Les adresses modifiées seront indiquées par un signet éclairant. Les sites qui ne répondent plus seront identifiés par un point d'interrogation.

I.E. 4.0 ne permet pas pareille gestion. Il gère ce qu'on appelle des abonnements aux chaînes qui " poussent " l'information vers votre ordinateur.

✓ Signet ultra-rapide

➤ *Question :*

Gérer un bookmark est casse-pieds. Est-il possible de ne créer les dossiers qu'une seule fois et, par la suite, de placer directement les adresses intéressantes dans le bon dossier du bookmark ?

➤ *Réponse :*

Oui, avec Netscape Communicator 4.0. Dans la barre d'adresse, juste à gauche de l'intitulé Location, apparaît une petite icône. Lorsque le curseur passe dessus il change de look pour devenir une petite main. Lorsque vous êtes sur une page qui vous intéresse, cliquez sur le curseur et amenez-le sur l'icône *Signets (Bookmarks)*. Le Bookmark se déroule en affichant les dossiers, déplacez le curseur vers le dossier de votre choix. Lorsqu'il est dessus, il change à nouveau d'apparence pour devenir un plus. Lâchez alors la pression du bouton. L'adresse est automatiquement copiée dans le dossier en question.

✓ Recharger à toute vitesse

➤ *Question :*

La dernière version d'une page déjà téléchargée n'est peut-être plus la bonne. Pour vérifier sa validité, comment faire ?

➤ *Réponse :*

Il suffit de l'actualiser, le navigateur se contente

alors de vérifier que tous les éléments sont bien les mêmes par rapport à ceux dont ils disposent. Pour ce faire, il suffit de cliquer sur le bouton *Recharger (Reload) de* Netscape ou *Actualiser* d'Internet Explorer. Il est également possible d'accélérer ce chargement en maintenant la touche *Maj* enfoncée lorsque vous cliquez sur le bouton.

✓ *Recherche d'adresses disparues*

➤ *Question :*

Votre Bookmark a disparu. Une cinquantaine d'adresses se sont fait la valise. Vous ne comprenez pas pourquoi.

➤ *Réponse :*

Dans Netscape, il y a vraiment très peu de chance de voir disparaître le bookmark, il est conservé dans un fichier au format HTML. Si le fichier disparaît, il en va de même de toutes les adresses. En outre, ce fichier n'impose pas de limite de nombres. Il est donc peu plausible que vos adresses prennent la poudre d'escampette. Si, par contre, vous utilisez I.E. 4.0, sachez que les Favoris sont conservés dans le dossier Windows/Favoris. Ce sont des éléments séparés. Il n'est pas interdit de penser que quelqu'un a fait un peu de ménage à votre place en mettant quelques adresses à la poubelle.

✓ *Constitution d'une liste d'adresses*

➤ *Question :*

Faire des listes d'adresses est parfaitement fasti-dieux. Plus encore lorsqu'il s'agit de réaliser un bookmark, puisque dans ce cas, il faut préalable-ment se connecter au site avant de pouvoir créer l'entrée dans le bookmark. Or, bien souvent, les adresses intéressantes sont reprises dans d'autres pages. Comment faire une liste d'adresses où s'affichent en regard le nom du site et son adresse ?

➤ *Réponse :*

Netscape et Excel collaborent étroitement à l'éla-boration de listes d'adresses. La solution du book-mark est en effet peu adaptée à certains travaux où il suffit de recenser les noms et adresses de sites repris dans diverses pages HTML. Une méthode simple est proposée par Netscape en collaboration avec Excel. Dans Netscape :

- Placez le pointeur sur le nom d'un site et cliquez dessus en maintenant la pression sur le bouton gauche de la souris.

- Ensuite, faites glisser le pointeur vers une feuille Excel. Le curseur se transforme en une petite main.

- Arrivé dans Excel, le pointeur change une deuxième fois d'aspect et se présente sous l'aspect d'un chaînon.

- Lorsque vous êtes arrivé à la bonne cellule,

lâchez la pression.

- L'adresse du site occupe dès lors la cellule.

- Revenez à Netscape et refaites la même opération. A ceci près que, normalement, arrivé dans Excel, le pointeur prendra l'aspect d'un minuscule feuillet rempli de texte, lâchez la pression lorsque vous atteignez la bonne cellule.

- Cette fois, c'est le nom du site, tel qu'il apparaît dans la page HTML, qui est copié dans la cellule.

Bien sûr, il faut un écran 21 pouces pour en profiter pleinement mais même sans cela, cette méthode permet la constitution extrêmement rapide d'une liste d'adresses.

Chapitre 5

L'e-mail

❑ INTRODUCTION

Le courrier électronique est, à lui seul, l'un des éléments explicatifs de l'engouement pour Internet.

Pour l'année 1996, un seul chiffre résume la situation. En un an, le nombre d'utilisateurs d'e-mail s'est accru de 727% à travers le monde. En 1997, l'année à peine clôturée nous réserve une croissance au moins identique.

On peut mettre en avant deux raisons à ce succès. L'e-mail, puisque c'est son nom, est beaucoup plus rapide que l'envoi postal. Pour ce dernier, une journée au moins est nécessaire au transfert. Dans le cas de l'e-mail, sauf problème particulier, dix minutes suffisent pour qu'un document parvienne au destinataire. Autre gros avantage, les documents envoyés sont directement disponibles sous forme numérique. Le texte, l'image, le son peuvent être directement édités et retravaillés sur le PC ou sur le Macintosh du destinataire.

✓ *Comment ça marche ?*

De nature électronique, l'e-mail emprunte des voies du même type qu'un courrier postal. La première condition consiste à ouvrir une connexion avec votre fournisseur d'accès Internet. Lorsque le message est rédigé au sein du logiciel de courrier électronique, que l'adresse du destinataire a correctement été saisie, le transfert par voie téléphonique débute au moment où vous cliquez sur le bouton *Envoi*; le message arrive aussitôt dans une première boîte aux lettres. Il s'agit d'un serveur SMTP *(Simple Mail Transfer Protocol)*.

Celui-ci est régi par un protocole de transfert permettant d'identifier l'adresse du destinataire (ex. :
pbielande@usa.net) et de transférer le message
vers le destinataire en passant par d'autres serveurs appelés des routeurs. Le trajet se termine
lorsqu'il aboutit sur un dernier serveur, celui sur
lequel le destinataire ira le récupérer. Son rôle
étant différent — il ne doit pas acheminer le courrier mais simplement faciliter sa récupération —,
ce serveur n'obéit pas au même protocole, il s'agit
d'un serveur «boîte aux lettres» appelé POP3
(Post Office Protocol). Moyennant l'obtention
du mot de passe adéquat, le serveur permet le
téléchargement du message.

Vous l'aurez compris, ces serveurs SMTP et POP3
sont la base de la configuration du courrier
électronique. C'est là que quelques problèmes
se font jour . Ces adresses répondent à une
syntaxe spécifique du type : dialup.francenet.fr,
mail.skynet.be, etc. Les adresses de vos serveurs
SMTP et POP ne doivent pas nécessairement
être celles de votre fournisseur d'accès. Elles
peuvent correspondre à celles de services
tels que DotMail (http://www.mail.dotcom.fr),
Hot Mail (http://www.hotmail.com), Valise
(http://www.valise.com/) ou NetAddress
(http://www.netaddress.usa.net/), accessibles à
partir de n'importe quelle connexion.

✓ Binhex, Mime, Uuencoded

A l'origine, le courrier électronique n'a pas été
conçu pour envoyer autre chose que du texte ; en
outre, comme l'ancêtre d'Internet nous vient

d'outre-Atlantique, il ne faut pas s'étonner si les accents n'y avaient pas droit de cité. Que faire alors ? Que faire des fichiers son, des programmes ou des images que légitimement beaucoup voulurent dès lors transférer par cette voie ? Que faire pour dépasser le codage ASCII 7 bits propre aux Américains ? Deux solutions ont émergé : MIME *(Multipurpose Internet Mail Extensions)* et E-SMTP *(Extended SMTP)*. Dans ce cadre, 8 bits sont utilisés pour passer à la moulinette de la conversion le texte et les documents joints. Hélas, tous les serveurs-routeurs par lesquels transite le message ne supportent pas cette extension. Résultat : des signes cabalistiques sans aucun sens à l'arrivée. Autre problème, dès qu'il s'agit de trouver des solutions, tous les esprits féconds planchent sur la question mais ne s'accordent jamais sur une solution. Ce fut encore le cas et, en gros, trois formats de compression virent le jour : base 64 (une des méthodes du format Mime), UUE (Uuencoded) et BinHex (Macintosh). Si votre logiciel e-mail ne fait pas automatiquement la conversion, de petits utilitaires tels que StuffIt Expander, Winzip ou Wincode y parviennent généralement. On les trouve facilement sur http://www.download.com.

✓ Quels outils pour l'e-mail ?

Tout dépend de ce que vous désirez faire. La distinction s'effectue aujourd'hui entre les logiciels de base (Outlook Express, Netscape Mail, Eudora Light, Mail Express) et les logiciels plus professionnels (Outlook, Microsoft Exchange, Pegasus,

Eudora Pro). Tous disposent d'un éditeur de texte capable de générer le texte nécessaire, tous permettent de joindre à ce texte des pièces d'un autre format : photos, sons, fichiers. La différence vient des possibilités supplémentaires offertes par certains : accusé de réception (Eudora Pro, Pegasus, Exchange dans le cadre de MSN), gestion de plusieurs boîtes aux lettres (Eudora Pro, Pegasus, Outlook, Outlook Expres, Mail Express), la possibilité de ne télécharger que les en-têtes des messages (Exchange, Eudora Pro, Pegasus, Mail Express).

✓ *Configurer un logiciel de messagerie*

Chaque logiciel d'e-mail propose ses options de configuration, plus ou moins nombreuses. Cependant, quel qu'il soit, le logiciel devra au moins disposer de plusieurs informations essentielles :

• Votre login : en général, celui qui vous permet d'accéder au fournisseur d'accès lors de la connexion.

• Votre mot de passe : en général, celui qui vous permet d'accéder au fournisseur d'accès lors de la connexion.

• Votre adresse e-mail : bielu@usa.net. Celle qui apparaîtra dans la zone De : (From :).

• L'adresse de réexpédition des e-mails : l'adresse à laquelle sera expédiée la réponse à l'un de vos mails. Si vous en avez plusieurs, cette adresse peut différer de votre adresse e-mail. (ex. : peter.bielu@usa.net)

- Le nom du serveur POP : le nom du serveur sur lequel attend le courrier qui vous est adressé et que vous devez télécharger. Microsoft appelle cela le serveur de messagerie. (ex. pop.netaddress.com)

- Le nom du serveur SMTP : le nom du serveur auquel le courrier est envoyé avant de commencer son long périple sur Internet. (ex. : mail.netaddress.com)

D'autres informations sont moins cruciales dans la mesure où elles sont le préalable à toutes connexions à Internet :

- Le mode de connexion à Internet : par modem, par réseau interne.

- Le nom de la connexion qui sera utilisée pour entrer en contact avec le fournisseur d'accès.

❏ QUELQUES QUESTIONS CLASSIQUES

✓ Envoyer, recevoir : deux serveurs distincts

➤ Question :

Vous avez tout paramétré. Puis, vous testez. Surprise ! Pas de problème pour envoyer du courrier. Par contre, rien ne vient. Quid ?

➤ Réponse :

Comme précisé plus haut, l'envoi d'un e-mail le fait d'abord aboutir au serveur SMTP du fournisseur d'accès du destinataire. Il dépose ensuite ce courrier sur un autre serveur «boîte aux lettres» appelé POP3. C'est sur ce serveur qu'il faut aller chercher son courrier. Tous les logiciels de messagerie exigent le nom de ces deux serveurs de messagerie.

Dans Netscape Mail, il faut ouvrir le menu *Edition* (*Edit*) et activer la commande *Préférences* (*Preferences*).

Cliquez sur l'item *Courrier et forums* (*Mails & Group*), puis sur l'item *Serveur de courrier* (*Mail Server*).

Il reste alors à compléter les données avec le nom du serveur SMTP (mail.netaddress.com) et avec le nom du serveur POP (pop.netaddress.com).

Dans Outlook Express, ce paramétrage est identique, seul le chemin d'accès diffère.

Activez la commande *Outils/Compte*.

Sélectionnez votre connexion, puis cliquez sur le bouton *Propriétés*.

Il ne vous reste qu'à cliquer sur l'onglet serveur. C'est là que les deux noms de serveurs doivent être introduits.

Dans Eudora (Light ou Pro), ce paramétrage se cache derrière la commande *Outils/Options/Personnalité*. Une nuance toutefois car Eudora vous demande de faire précéder le nom du serveur POP par votre login d'entrée (ex. bielu@ pop.netaddress.com).

✓ Le message vous revient

➤ Question :

Les messages sont classiques " *Mail Delivery Failure* ", " *Returned mail : host unknown* " ou " *Returned mail : user unknown* ". Suit en général une explication en anglais de la raison pour laquelle votre message n'est pas parvenu à votre correspondant.

➤ Réponse :

A ce phénomème, trois explications peuvent généralement être avancées.

1. L'adresse de votre correspondant n'existe pas ou n'existe plus. Soit vous avez commis une erreur de syntaxe (ex. sarah@club-internet.fr au lieu de sara@club-internet.fr), soit il n'est plus abonné à ce fournisseur d'accès, la vérification est dans ce cas assez aisée.

   Vérifiez la validité de l'adresse de votre correspondant avec le service http://www.ciril.fr/Services/vrfy.html.

2. L'adresse de réexpédition de votre correspondant n'est pas correcte. C'est un autre cas classique. Vous répondez à un message de votre correspondant mais il n'a pas correctement saisi son adresse de réexpédition. Donnez-lui un coup de fil pour qu'il la modifie. Vous vous rendrez service, vous lui rendrez service et vous rendrez service à ses autres correspondants. L'altruisme, quoi !

3. Le nom du serveur hôte n'a pas été identifié *(Host unknown)*. Votre serveur SMTP ne dispose pas du nom du serveur vers lequel le message doit être transmis ou ne peut l'atteindre. Généralement, il s'agit encore d'une erreur dans l'adresse mais à la droite de l'arobase (@) cette fois (ex. sara@club.internet.fr au lieu de sara@club-internet.fr). Vérifiez l'existence du domaine en utilisant InterNIC (http://ds.internic.net).

Variation sur un même thème :

les messages d'erreur et leur signification :

User unknown : utilisateur inconnu (l'adresse n'existe pas ou est mauvaise).

User not listed in Public name : utilisateur inconnu (idem).

User not listed in Adress Book : utilisateur inconnu (idem).

Host unknown : le serveur ou domaine appelé n'existe pas (problème dans la partie droite de l'adresse après l'arobase).

Illegal host/domain name : idem.

Can't send for x days : impossible d'envoyer le message depuis x jours.

Network unreachable : le réseau ne peut être atteint.

✓ Le MIME

➤ Question :

Il n'est pas rare de voir un envoi supposé contenir un fichier attaché (une image par exemple) n'offrir que plusieurs dizaines de pages de caractères inutiles. Que faire ?

➤ Réponse :

A l'heure actuelle, les logiciels de courrier électronique récents ne présentent plus ce genre de problème. Il s'agit effectivement d'une absence de conversion au standard MIME. Les anciens logiciels de courrier électronique étaient confrontés à cela et il fallait ruser avec des outils tels que StuffIt Expander (http://www.image-ination.com/stuf.html) et Wincode (ftp://bitsy.mit.edu/pub/dos/Wincode/utils/wincode.zip) pour convertir cette arrivée de caractères inutilisables en un fichier exploitable. Si vous êtes régulière-ment confronté à un tel problème, songez sérieu-sement à adopter un nouveau logiciel de messa-gerie. Sur Macintosh, Eudora Light est un excel-lent choix tandis que sur PC, Outlook Express (fourni avec I.E. 4.0) ou Eudora Light (http://www.qualcomm.com/) feront l'affaire, le décodage des fichiers joints est automatique. Ces deux logiciels sont gratuits.

✓ *Pourra-t-il lire votre message ?*

➤ *Question :*

Si vos messages sont systématiquement enrichis de caractères en gras ou en italique ou de couleurs, pensez au moins à vos destinataires. Pourront-ils visualiser ces enrichissements ?

➤ *Réponse :*

Si le logiciel e-mail de votre destinataire ne peut les lire, le message reçu par votre correspondant sera proche du charabia incompréhensible. Pour savoir à quoi s'en tenir, la meilleure méthode consiste à analyser un message précédemment reçu en provenance de ce correspondant. Comment faire ?

- Cliquez avec le bouton droit de la souris sur le message et activez la commande *Propriétés*.

- Cliquez aussitôt sur l'onglet *Détails*.

- Normalement, vous devriez trouver un intitulé *X-Mailer* suivi du nom du logiciel d'e-mail utilisé par ce dernier.

- S'il s'agit d'un logiciel du type OutLook Express, Exchange, Internet Mail, Netscape Mail ou Eudora Pro 3.0, vous ne risquez rien.

- Si vous ne trouvez pas de rubrique *X-Mailer*, le risque s'accroît sensiblement.

Votre correspondant travaille peut-être sur un Macintosh avec un logiciel incapable d'interpréter les enrichissements en question.

✓ *Internet Mail : où se cache-t-il ?*

➤ *Question :*

Les habitués de Netscape sont toujours très heureux de constater que tout est intégré au sein de ce logiciel. Ce qui n'est pas le cas de l'ancienne version 3.2 d'Internet Explorer que beaucoup utilisent encore en raison de sa fiabilité. Oui, mais dans ce cas, où ont-ils été cacher le logiciel de messagerie ?

➤ *Réponse :*

MS Internet Explorer 3.0 nous la joue paresseuse. Par défaut, c'est la gestion du courrier d'Exchange qui est employée (bonjour, l'angoisse !). Pas de paramétrage interne donc. Seule l'existence de la commande *Lire le courrier* du menu *Aller* à autorise quelques soupçons. En définitive, l'alter ego de MS Internet Explorer 3.0 est le logiciel MS Internet Mail and News. Il est petit, léger et tout et tout. C'est un module séparé d'Internet Explorer. Il s'installe en modifiant la base de registres. Beaucoup d'offres groupées le proposent encore. Il ne suffit donc pas d'installer Internet Explorer 3.2 pour bénéficier de la messagerie électronique.

✓ *Conversion du carnet d'adresses*

➤ *Question :*

Comme beaucoup, vous aviez opté pour Internet Mail comme logiciel d'e-mail. Aujourd'hui Outlook accompagne l'Office 97 et se révèle infiniment plus puissant. Si vous optez pour ce dernier, vous êtes confronté au problème de la conversion du carnet d'adresses d'Internet Mail.

➤ *Réponse :*

Outlook 97 ne propose pas de commande de conversion du carnet d'adresses d'Internet Mail. Une solution existe qui se nomme WabOut, un logiciel de conversion disponible à l'adresse http://www.empire.net/~level/WabOut.html. WabOut convertit en carnet d'adresses Outlook les adresses contenues dans le fichier au format wab (Windows Address Book) qui est caché en C:/Windows (exemple : Bielu.wab). Seule restriction, WabOut ne fonctionne correctement qu'avec la version anglaise d'Internet Mail and News. Vous pouvez écraser la version française en téléchargeant la vieille version anglaise à l'adresse http://www.microsoft.com/IE/download/. Le carnet d'adresses sortira intact de l'opération et pourra donc être converti.

✓ Disque dur saturé

➤ *Question :*

Les nouveaux adeptes de la messagerie électronique ont vite fait de s'abonner à plusieurs listes de diffusion. Ils reçoivent messages sur messages et les rangent dans des dossiers. C'est trop vite oublier qu'à raison d'une taille oscillant entre 2 ko (le minimum) et 40 ko (des messages d'informations au format HTM), les messages finissent par prendre beaucoup de place sur le disque dur. Que faire ?

➤ *Réponse :*

Il n'est pas rare de voir le dossier de son logiciel de messagerie passer de 10 Mo à 80 Mo en moins de 6 mois. La plupart des logiciels permettent cependant de détruire les messages inutiles ou de compresser les dossiers. Le gain est généralement d'un ratio de 2 pour 1. Netscape propose la commande *Fichier/Compression dossier* (*File/Compress Folder*), Eudora Pro la commande *Spécial/Compacter les boîtes aux lettres* et Outlook Express, la commande *Fichier/Dossier/Compresser*.

✓ *Envoi type*

➤ *Question :*

Si vous écrivez régulièrement par e-mail à un même correspondant et que le sujet de votre message est quasiment toujours le même, du genre " Bonjour à vous ", n'existe-t-il pas une solution pour accélérer l'élaboration d'un e-mail ?

➤ *Réponse :*

Sur le Mac, je ne sais pas, mais sur Windows 95, il est possible de créer un raccourci qui active votre logiciel de mail par défaut, définit automatiquement l'adresse et le sujet du message. Comment faire ?

Créez un raccourci sur le bureau *(Nouveau/ Raccourci)* et attribuez-lui comme ligne de commande, une instruction respectant la syntaxe suivante :

mailto:MrX@edicorp.net?subject=Bonjour à vous

Un double-clic lance le logiciel d'e-mail avec un message ouvert où l'adresse et le sujet sont déjà définis.

✓ Courrier personnalisé

➤ Question :

Eudora Light ou Pro ne sont pas très portés sur les embellissements. Pour une raison bien simple, ce sont des logiciels puristes du mail. Tout au plus admettent-ils une signature. Que faire pour embellir les mails ?

➤ Réponse :

Changez de logiciel... Outlook Express est capable d'utiliser des pages au format HTML qu'il utilise comme modèle de mail. Ce qui est plutôt pas mal. Où trouver ces modèles ? Cliquez sur la petite flèche située à côté de l'icône *Composer un message*. Dans le menu contextuel qui apparaît à l'écran, il ne vous reste plus qu'à choisir entre les sept papiers à lettre prédéfinis.

Plus sérieusement, ne changez de logiciel d'e-mail que lorsque vous êtes réellement convaincu de la supériorité technique du nouveau logiciel. Les effets de manche, du genre modèle HTML, ont pour conséquence d'alourdir le courrier et d'allonger les temps d'envoi et de téléchargement.

✓ *Classement vertical*

➤ *Question :*

La plupart du temps, l'envoi à la corbeille des messages inutiles ne résulte pas en une destruction
réelle du message en question. Il reste sur le
disque dur jusqu'à ce que vous vidiez la Corbeille.
Or on oublie souvent de la vider.

➤ *Réponse :*

- Pour les utilisateurs «impatients» du Messenger
  de Netscape Communicator 4.0, la destruction
  définitive d'un message s'effectue de la
  manière suivante :

  Sélectionnez d'abord le courrier indésirable.

  Ensuite, enfoncez simultanément les touches
  Shift / Delete. De cette façon vous éviterez le
  passage obligé par le répertoire *Corbeille (Trash
  folder)*.

- Dans Eudora Pro, il est possible de demander de
  vider la Corbeille à chaque fois que l'on quitte
  le programme.

  Lancez la commande *Outils/Options*.

  Cliquez sur le bouton *Divers* en bas de la liste et
  cochez l'option *Vider la Corbeille en quittant*.

- Outlook Express procède de la même manière.

  Activez la commande *Outil/Options*.

  Dans l'onglet *Général*, cochez l'option *Vider le
  dossier " Eléments supprimés " en quittant*.

✓ Gestion multi-comptes

➤ Question :

Vous avez une adresse chez votre fournisseur d'accès, mais vous avez également opté pour une adresse à vie chez DotMail, Hotmail ou un autre service du genre.

Quels logiciels peuvent gérer efficacement plusieurs comptes ?

➤ Réponse :

Hélas, ni Internet Mail, ni Netscape Mail. Il faut reconfigurer les serveurs, login et mot de passe pour y arriver. Pour bien faire, il vous faut un logiciel tel que Outlook Express (pour PC), Eudora Pro (http://www.qualcomm.com/) ou Pegasus (http://www.law.du.edu/compserv/mac/pmail.htm (pour le Mac) ou http://www.pegasus.usa.com/ (pour Windows)).

Outlook Express est gratuit et facile d'emploi. Eudora Pro est un produit professionnel remarquable et bien documenté. Il faut, hélas, l'acheter. Pegasus est l'outil le plus complexe. Il dispose des possibilités les plus étendues. Il faut payer la licence pour disposer de la documentation qui explicite ces mille et une fonction. Je vous assure que cette dernière n'est pas superflue.

Pour apprendre à l'utiliser, un détour par le site http://www.state.lib.ut.us/internet/pegasus.htm s'impose. Une explication pas à pas, écrans à l'appui, y est proposée (le site Mac contient également des explications de configuration très complètes).

✓ *Option anti-spam*

➤ *Question :*

Le Spam est la nouvelle maladie du courrier électronique. A un tel point qu'on légifère pour condamner cette nouvelle race d'agresseurs : les spammeurs. Que font-ils ? Ils inondent les boîtes de réception de publicité transmise par e-mail. Hélas, cette pratique se propage à un tel point qu'il faut pouvoir lutter sous peine de perdre un temps fou à ne télécharger que de la publicité.

➤ *Réponse :*

Il existe plusieurs logiciels spécialisés dans la lutte anti-spam. Spam Killer (contact : spam.killer@ usa.net), Spam Hater (http://www.cix.co.uk/~net-services/spam/) ou encore SpamEx (http://www.unisyn.com). On les trouve sur bon nombre de CD-Roms de la presse spécialisée.

Sinon, ni Outlook Express ni Netscape Mail ni Eudora Pro ne sont démunis car ils disposent de filtres capables de faire en sorte que les messages provenant de spammeurs ne soient pas téléchargés. Prenons l'exemple d'Outlook Express pour expliquer comment poser des filtres :

Si l'adresse de l'expéditeur de ces messages est régulièrement la même, la méthode est simple car il suffira de les supprimer directement sur le serveur.

• Accéder à la commande *Outils/Gestionnaire* de la boîte de réception. Si vous n'avez jamais posé de filtres de votre vie, cette boîte est vide.

- Cliquez alors sur le bouton *Ajouter*. Dans la boîte de dialogue, indiquez l'adresse du spammeur.

Ensuite, cochez l'option *Supprimer* du serveur.

Messenger offre la même chose avec la commande *Edition/Filtres du courrier* (*Edit/Mail Filters*).

Eudora passe par la commande *Outils/Filtres* pour proposer un service de filtre encore plus puissant.

✓ Accédez à votre courrier par Telnet

➤ *Question :*

Mauvaise expérience, votre logiciel de messagerie électronique refuse de fonctionner pour une raison obscure – ça m'est arrivé, le lendemain sans que je sache pourquoi, tout était rentré dans l'ordre. Or, vous attendez justement un message urgent. Que faire ?

➤ *Réponse :*

Passez par Telnet ! Ce programme fourni avec Windows 95 est de type émulation Minitel ; il permet d'envoyer des commandes à un ordinateur distant et de lire les réponses reçues. Donc, astuce, pour lire vos messages, il suffit d'envoyer les bonnes commandes adéquates au serveur POP de votre fournisseur d'accès. Tout n'est, hélas, pas si rose. L'une des faiblesses du système est de ne pas autoriser les erreurs de frappe. A chaque fois, le serveur envoie un message d'erreur et il faut recommencer. Casse-pieds.

Comment faire dans Windows 95 ?

- Lancez le programme Telnet caché dans le répertoire Windows. Il s'appelle Telnet.exe.

- Commencez par le configurer afin de visualiser les caractères que vous tapez au clavier. Pour ce faire, accédez au menu *Terminal* et choisissez la commande *Préférences.* Cochez l'option *Echo.*

- Connectez-vous de la manière traditionnelle à votre fournisseur d'accès Internet.

- Pour établir la communication avec le serveur POP de votre fournisseur d'accès, ouvrez le menu *Connexion* et choisissez la commande *Système distant.*

- Dans la zone *Nom d'hôte*, saisissez le nom du serveur de courrier POP 3 de votre fournisseur d'accès (ex. : pop.netaddress.com). Ce nom doit vous avoir été fourni par votre fournisseur d'accès, contactez votre fournisseur d'accès, sinon passez-lui un coup de fil pour l'obtenir.

- Confirmez le choix par défaut du terminal. Ce doit être vt100. Cliquez alors sur le bouton *Connecter.* Lorsque la connexion est établie, un message vous l'indique.

- Tapez *user* suivi d'un espace et de votre nom d'utilisateur (login), puis validez.

- Tapez *pass* suivi d'un espace et de votre mot de passe, puis validez.

- Normalement, le serveur vous donne alors le nombre de messages présents dans votre boîte aux lettres. Si ce n'est pas le cas, tapez la commande *stat* et validez.

- Pour connaître en détail la longueur de chaque message, tapez la commande *list* et validez.

- Pour lire un message, tapez la commande retr suivie d'un espace et du numéro du message (par exemple : retr 1), puis validez. Les messages lus restent présents sur le serveur.

- Si vous désirez détruire les messages lus, tapez la commande dele suivie d'un espace et du numéro du message à supprimer (par exemple : dele 1), puis validez.

- Déconnectez-vous du serveur de courrier en tapant la commande quit. N'oubliez pas qu'à ce stade vous êtes toujours connecté à votre fournisseur d'accès.

Telnet n'est pas le seul programme d'émulation terminal. Il en existe également sur Mac, si la configuration et les menus diffèrent, les commandes à envoyer au serveur POP sont les mêmes.

✓ Ne pas télécharger les gros messages

➤ Question :

Cas d'école classique : votre liaison n'est pas des plus performantes et plusieurs gros fichiers (+ de 1 Mo) attendent dans votre boîte aux lettres votre bon vouloir. Mais, télécharger 1 Mo, cela représente environ 7 minutes de connexion. Dans le meilleur des cas. Car, en général c'est encore plus long. Or, derrière ces mammouths vous attend un message urgent. Que faire ?

> ## ➤ *Réponse :*

Dans un premier temps, laissez les fichiers trop volumineux sur le serveur. Vous ne les téléchargerez que lorsque vous aurez plus de temps. Comment faire ? Tout dépend de votre logiciel, évidemment. Avec le logiciel le plus simple, Internet Mail, il suffit de désactiver momentanément le téléchargement des fichiers les plus volumineux. Ce truc vaut pour tous les logiciels. Pour ce faire :

- Activez le menu *Message,* puis la commande *Options.* Sélectionnez ensuite l'onglet *Serveur,* puis cliquez sur le bouton *Paramètres avancés.*

- Dans l'encadré *Remise,* cochez la case *Ne pas télécharger les messages de plus de* et spécifiez une valeur pivot quelconque. Par exemple 50 Ko.

Netscape Messenger offre la même possibilité :

- Ouvrez le menu *Edition* (*Edit*) et sélectionnez-y la ligne *Préférences* (*Preferences*).

- Dans la liste des catégories, choisissez l'item *Avancées* (*Advanced*), puis l'item *Espace disque* (*Disk Space*), cochez l'option *Ne pas télécharger de messages supérieurs à* (*Do not download any message larger than 50 Kb*).

✓ *Téléchargez les en-têtes*

> ## ➤ *Question :*

Identique à la précédente.

➤ *Réponse :*

La meilleure solution est de ne télécharger que les en-têtes des courriers. Qu'est-ce que l'en-tête ? Comme dans un courrier classique, il s'agit des premières données visibles : le nom de la personne qui envoie le courrier (en l'occurrence son adresse e-mail), le sujet du message et sa taille.

Lorsqu'ils sont chargés dans votre boîte aux lettres, il vous suffira de lire les sujets de chaque message, de sélectionner les envois que vous voulez télécharger et d'indiquer ceux que vous désirez voir supprimer du serveur. Des logiciels tels qu'Eudora Pro, Pegasus et Exchange font cela très correctement. Ce n'est par contre pas le cas d'Internet mail, d'Outlook Express ou de Netscape Messenger.

Avec Exchange :

- Dans le menu *Outils,* activez la commande *Courrier à distance*. Choisissez ensuite le service *Messagerie Internet*.

- Ouvrez le menu *Outils* de la page Courrier à distance, et activez la commande *Se connecter et mettre à jour les en-têtes*.

- Après connexion et déconnexion, lorsque les en-têtes apparaissent, utilisez les outils de la barre d'outils pour définir ceux que vous désirez télécharger et ceux que vous désirez supprimer du serveur.

Petite remarque en passant, la présence de la commande *Courrier à distance/Messagerie Internet* est liée à celle du service Internet Mail.

Si ce service n'est pas disponible, il faudra l'installer en passant par *Outils/Services/Ajouter/Internet Mail*.

Avec Eudora Pro, la chose est beaucoup plus simple, puisqu'il suffit de taper sur la touche *Shift* lorsque vous cliquez sur l'icône de chargement du courrier. Une boîte d'option de téléchargement inaccessible par les menus traditionnels s'ouvre alors.

Cochez simplement la case : *télécharger tous les en-têtes dans la boîte de réception*, puis validez. Les en-têtes sont alors lisibles mais pas le corps des messages.

Pour télécharger les messages les plus urgents et laisser les autres sur le serveur, sélectionnez-les dans la boîte de réception, cliquez avec le bouton droit de la souris et choisissez la commande *Modifier l'état du serveur*.

Les deux options essentielles sont : supprimer les messages du serveur sans les télécharger (commande *Supprimer*) ou les télécharger puis les supprimer du serveur (commande *Télécharger puis supprimer*). Cette seconde solution est adaptée pour la récupération des messages urgents, la première l'est pour la destruction des gros fichiers encombrants et inutiles.

✓ *Eudora Light : la documentation*

➤ *Question :*

Eudora Light (pour Mac et PC) est l'un des logiciels d'e-mail les plus téléchargés. En cause, sa gratuité et ses grandes qualités qui préfigurent celles de son grand frère Eudora Pro. Le hic, c'est que la documentation n'accompagne pas le logiciel. Où est-elle ?

➤ *Réponse :*

Revenez à la page d'accueil d'Eudora à l'adresse http://www.qualcomm.com/ et chargez le manuel utilisateur du logiciel sur votre disque dur. Vous pourrez choisir entre le format texte et le format document Word. Vous connaîtrez ainsi la signification des boutons de la barre d'outils.

✓ *Décodage raté*

➤ *Question :*

Vous utilisez un logiciel de courrier supposé décoder automatiquement les messages joints et codés au format Mime ou uuencoded, mais les fichiers attachés ne sont pas convertis. Que faire ?

➤ *Réponse :*

Vérifiez dans votre programme s'il y a bien un répertoire destiné à accueillir les fichiers attachés à votre courrier. Par défaut, ils sont cependant joints au même répertoire que le répertoire d'accueil du courrier.

✓ *Un logiciel défectueux ! Un !*

➤ *Question :*

Vous avez téléchargé la dernière version de votre logiciel de messagerie favori. Vous le décompactez sans problème apparent, mais il refuse de s'installer. Un message d'erreur est alors affiché qui force le système à se relancer. Que se passe-t-il ?

➤ Réponse :

La chose est rare mais elle se produit de temps à autre. Outre la piste évidente d'une erreur dans le programme d'installation, erreur qui serait due à l'éditeur, l'autre piste est que les données téléchargées ont été corrompues. C'est-à-dire que le fichier que vous auriez dû recevoir n'est pas exactement celui que vous avez reçu. Quelques petites erreurs se sont glissées à des endroits cruciaux. Seule solution : recommencer la procédure de chargement.

➤ Exemple :

Si vous utilisez un logiciel FTP tel que WS_FTP, vérifiez que les fichiers transférés sont bien de type binaire. Sinon, le programme les reconnaîtra en temps que documents texte. Vous serez quitte pour recommencer le téléchargement.

✓ Signer les e-mails

➤ Question :

Signer les e-mails, message après message, devient vite lassant puisque ce sont toujours (ou presque) les mêmes données qui figurent sur cette signature. Les logiciels d'e-mail permettent l'insertion d'une signature. Comment faire ?

➤ *Réponse :*

La majorité des programmes E-mail ont une option *Signature*. Elle permet d'insérer un texte qui s'ajoutera par la suite automatiquement à chacun de vos courriers.

Eudora *(Outils/Signature/ Nouvelle)*.

Netscape Messenger *(Edition/Préférences/Courrier & forums/Identité/Fichier de signature)* (en anglais : *Edit/ Preferences/Mails & Groups/ Identity/ Signature File)*.

Outlook Express *(Outils/Papier à lettres/Courrier/ Signature)*.

Si vous utilisez une signature pour vos messages e-mail, veillez à la rendre la plus légère possible. Evitez les images graphiques (.gif, .jpg). Cela ralentit l'émission du message et sa réception. En outre, si tout le monde s'y met, c'est le réseau qui sera engorgé. Un gif de 2 ou 3 ko double en effet le volume d'un simple message de 200 à 300 signes.

✓ *Sécurisez vos envois d'e-mail*

➤ *Question :*

Comment empêcher des individus peu scrupuleux d'intercepter et de lire mon courrier ?

➤ *Réponse :*

Il est possible de protéger vos messages en utilisant des utilitaires d'encryptage comme ROT 13, RAS ou PGP. PGP (Pretty Good Privacy) est le plus récent. Vous le trouverez à l'adresse : http://www.arc.unm.edu/~drosoff/pgp/pgp.html. Le problème est que ces techniques de codage de courrier sont interdites par la loi française. Si vous en voulez une preuve, jetez un coup d'œil à Outlook Express. Il existe bien une zone destinée à crypter les messages *(Outils/Options/Sécurité/Paramètres avancés)*, mais les logiciels de cryptage précités ne sont pas accessibles. Pourtant ils le sont dans la version américaine du produit.

✓ *Adopter une adresse à vie*

➤ *Question :*

Vous changez souvent de fournisseur d'accès ? Votre ancienne adresse ne répond donc plus et il vous faut avertir tous vos correspondants. En outre, vous devez vous réabonner aux listes de distribution. Inévitablement, du courrier se perdra. Comment l'éviter ?

➤ *Réponse :*

Adoptez une adresse unique, à vie et... gratuite. Plusieurs services de ce type existent sur le Net. En voici quatre :

- DotMail (http://www.mail.dotcom.fr),
- Hot Mail (http://www.hotmail.com),
- Valise (http://www.valise.com/),
- Yahoo (http://www.yahoo.com),
- NetAddress (http://www.netaddress.usa.net/),

accessibles à partir de n'importe quelle connexion.

Ces services présentent en outre l'avantage d'être accessibles à partir du Web. Vous pourrez donc lire votre courrier de n'importe où sur la planète pour peu que vous disposiez d'un navigateur. Le choix du nom de votre boîte aux lettres est généralement libre, même s'il est fort orienté.

Ces services permettent également le réacheminement automatique du courrier vers l'adresse de votre choix.

✓ *Partager la boîte aux lettres*

➤ *Question :*

Fort courant depuis qu'Internet perce sur le marché familial, le problème du partage de la boîte aux lettres se pose. Pas évident de savoir que vos enfants pourraient avoir accès à des courriers professionnels. Que faire ?

➤ *Réponse :*

La solution idéale est de faire en sorte que chaque membre de la famille actif sur le Net dispose de son adresse personnelle. Si votre fournisseur d'accès ne le propose pas spontanément, vous pouvez utiliser les services des boîtes aux lettres universelles cités ci-devant. Le problème sera dès lors réglé puisque l'accès à la boîte aux lettres est protégé par un mot de passe. Par contre, pour ce qui concerne les news, la solution consiste simplement à ne pas mentionner votre e-mail comme boîte de réception du courrier *Répondre* (*Reply*). Mentionnez simplement l'adresse du Newsgroup concerné. Les réponses seront directement attachées à vos différentes questions. Il vous suffira de regarder de temps à autre si une réponse est arrivée.

✓ La recherche d'une adresse

➤ Question :

Vous désirez envoyer un courrier à un quidam mais vous ne connaissez pas son adresse. Où chercher ?

➤ Réponse :

Il existe plusieurs serveurs d'aide à la recherche d'adresse e-mail. Le seul problème réside dans le fait que n'y figurent que ceux qui s'y inscrivent. Si vos correspondants potentiels ignorent ce genre de service vous ferez choux blanc. Voici quelques adresses :

- Internet @ddress.finder à http://www.iaf.net/ compte plus de 6,7 millions d'adresses dans sa base de données.

- The four 11 White page directory à http://www.four11.com/ est un des plus complets actuellement. Ils affirment avoir plus de 11 millions d'adresses dans leur base de données.

- The OKRA net.citizen Directory Service search engine à http://okra.ucr.edu/okra/ contient une liste de 5,3 millions d'adresses.

- The Email search program ou ESP à http://www.esp.co.uk/ est une base de données anglaise. Elle ne contient pas autant d'entrées que les autres sites.

- Graphcomp à http://www.graphcomp.com/info/
  w3search.html utilise actuellement le même
  moteur de recherche que Four 11. Il propose
  des liens avec de nombreux autres sites E-mail
  et un service de publipostage.

- A l'adresse http://usenet-addresses.mit.edu/,
  Usenet addresses propose la recherche d'une
  adresse au sein des adresses postées dans les
  forums Usenet.

- A l'adresse http://EmailChange.com/, Email-
  Change.com vous propose de trouver la
  nouvelle adresse d'un individu en cherchant
  à partir de son ancienne adresse.

Netscape Communicator 4.0 donne également
accès à quatre autres annuaires : WhoWhere,
InfoSpace, BigFoot et Switchboard. La commande
Edition/Recherche dans l'annuaire y donne directement accès.

✓ Un carnet d'adresses à jour

➤ Question :

Lorsque vous recevez un message d'un nouveau
correspondant, comment placer automatiquement cette adresse dans votre carnet d'adresses ?

➤ Réponse :

Bon nombre de logiciels ne permettent pas une
mise à jour automatique du carnet d'adresses.
Outlook Express ne propose que la commande
Ajouter au carnet d'adresses disponible, lorsque le

message est ouvert en lecture. Elle apparaît dans le menu contextuel lorsqu'on clique avec le bouton droit de la souris sur le nom de l'envoyeur, juste après l'intitulé *De :*.

Netscape Messenger propose une commande identique, *Ajouter au carnet d'adresses (Add to Address Book)*, disponible de la même manière. Eudora, de plus vieille facture, ne propose pas pareille facilité.

✓ *Retour à la ligne*

➤ *Question :*

Lorsque vous composez un message dans Netscape Messenger, vos commentaires sont automatiquement interrompus et renvoyés à la ligne lorsque vous atteignez la limite droite de la fenêtre de saisie. Par contre, afin que le destinataire puisse lire confortablement votre message, les lignes sont automatiquement interrompues après 72 caractères. Comment faire pour que le destinataire reçoive le message tel que vous l'avez tapé ?

➤ *Réponse :*

Dans Netscape Messenger, allez dans le menu *Affichage (View)* et activez la commande *Renvoi automatique des longues lignes (Wrap Long Lines)*. Désormais, la longueur des lignes s'adaptera à la taille de la fenêtre.

Dans sa fenêtre de composition des messages, Eudora propose une icône *Retour à la ligne* automatique des lignes longues...

✓ Eudora : logiciel de messagerie de Netscape

➤ *Question :*

Il est possible d'utiliser un autre logiciel que Netscape Messenger comme logiciel de messagerie par défaut de Netscape. Comment faire ?

➤ *Réponse :*

Le logiciel en question est Eudora Pro et la manière de procéder pour y arriver est fort simple. Il suffit de cocher une option cachée dans Eudora. Passez par le menu *Outils* et choisissez la commande *Options*. Dans le module *Divers*, cochez la commande *Interceptez les urls Netscape mailto*. Lorsque Eudora est actif et que l'option est cochée, Eudora est affiché dans la fenêtre active lorsque, au sein d'une page Web, vous cliquez sur une adresse e-mail affichée comme lien hypertexte. L'adresse mentionnée est déjà active dans un nouveau message.

✓ Diminuer la taille des images

➤ *Question :*

Rien n'est plus frustrant que les minutes d'attente nécessaires au téléchargement d'un courrier accompagné d'une image de 850 Ko. Cette taille ne sert probablement à rien. L'informatique peut mieux faire. Au grand profit de la messagerie électronique. Comment faire ?

➤ *Réponse :*

Sur Internet deux formats sont à l'honneur : le gif et le JPEG. La taille du second dépend de plusieurs paramètres :

- le nombre de couleurs,
- la résolution de la photo,
- la taille de la photo,
- le taux de compression.

Chacun de ces paramètres est l'un des grands responsables de sa taille. Une photo noir et blanc prendra une place plus faible qu'une photo en couleur. Pourquoi ? Simplement parce qu'il ne faut qu'un seul bit par pixel pour coder du noir et blanc. Par contre, il faut 8 bits pour coder un pixel d'une photo avec une palette de 256 couleurs, 16 pour coder une image en 32 768 ou 65 536 couleurs et il en faut 24 par pixel pour coder une image en millions de couleurs. Pour " peser " 850 Ko, une photo JPEG est fort probablement codée en millions de couleurs. Si elle n'est pas destinée à un usage professionnel, il est rarement utile d'en arriver là. Pour pallier ce problème, il faut diminuer le nombre de couleurs. Paint Shop Pro, le shareware de retouche d'image le plus populaire, propose une commande *Diminuer le nombre de couleurs* dans son menu *Couleurs*. La taille de l'image et la résolution sont également pour beaucoup dans la taille du fichier. Exemple : une photo (10x15) scannée à 300 dpi (dots per inch = points par pouce) et dont la taille ne représente plus que 50% de l'original, prendra 1,3 Mo. La même photo scannée en 100 dpi, toujours avec une taille de 50%, n'occupe plus que 160 ko.

Avec JPEG, il est possible de compresser cette photo sans perte d'information. En deçà d'un rapport de 1 sur 10, la perte d'information est nulle ou presque. Au-delà, plus le taux est important, plus la qualité de la photo s'en ressent.

Le format gif effectue également une compression du fichier mais, à la différence du format JPEG, il ne peut conserver que 256 couleurs. Ceci dit, ces fichiers .gif sont souvent d'un très bel effet sur les pages Web.

✓ E-mail anonyme

➤ Question :

Vous l'avez constaté, chaque e-mail reçu se caractérise par un en-tête dans lequel figurent l'adresse de l'expéditeur et du destinataire, la liste des serveurs qui ont géré le message, etc. Il n'est pas rare de vouloir rester discret. Comment faire pour qu'on ne puisse trouver l'origine du mail ?

➤ Réponse :

Le seul moyen d'envoyer un e-mail anonyme, est de le faire passer par un " Remailer ". Son travail consiste à réceptionner votre message, à effacer les informations d'en-tête et à le renvoyer au destinataire. Tout est automatique, il suffit de maîtriser la syntaxe des commandes à employer. Un exemple s'impose. Dans cet exemple, nous passons par les services de remailer@replay.com qui existe bel et bien à http://www.replay.

com/remailer/index.html.

Pour l'en-tête :

From : Biélu <bielu@usa.net>

To : remailer@replay.com

Subject : Anonymous Mail (c'est obligatoire !)

Pour le corps du message :

: :

(la première ligne de votre message doit être " :: " (deux fois la ponctuation deux-points))

Anon-to : Huissier Grippe-sou <huissier@vousnau-rezrien.com>

(indiquez le nom du destinataire en commençant par Anon-to (Anonyme to), puis ajoutez son adresse. Attention à la majuscule Anon-to et pas anon-to).

Tapez ensuite votre message. Quand l'huissier recevra le message, il se présentera comme ceci : " Salut Huissier Grippe-sou, je suis anonyme ". Toutes les informations concernant l'expéditeur seront effacées et il sera impossible de trouver l'origine du message. Pour en savoir davantage, demandez la documentation au serveur anonyme. Pour ce faire, il suffit de taper help comme sujet dans l'en-tête du courrier.

L'adresse http://electron.rutgers.edu/~gambino/ anon_servers/anon.html rassemble la liste des " remailers " anonymes. Elle est en anglais mais est fort riche d'enseignements. Elle intègre notamment une FAQ.

✓ Publipostage électronique

➤ Question :

Envoyer un message à plusieurs destinataires sans que chacun des destinataires sache qu'il a été envoyé aux autres, est-ce possible ?

➤ Réponse :

C'est possible. Je prendrai l'exemple d'Eudora pour l'expliquer.

Choisissez la commande *Outils-Carnets d'adresses* et cliquez sur le bouton *Nouveau* pour créer un nouveau *Surnom* qui représentera en fait une liste de destinataires.

Nommez-le *Cher-Ami* (guère original !). Dans la zone *Adresses,* entrez les adresses de tous les destinataires.

Lorsque vous créez votre message, choisissez comme destinataire (dans la zone *To:*) le *Surnom* de votre liste. Chacun recevra une copie de votre message. Il lui sera adressé en tant que Cher-Ami. N'hésitez pas à ajouter votre propre adresse dans la liste afin de vérifier le bon fonctionnement du système.

✓ Adresse express

➤ Question :

Si vous utilisez Internet Mail ou Outlook Express, il est possible d'accélérer la saisie des noms des destinataires et sans passer par le Carnet d'adresses. Comment faire ?

➤ *Réponse :*

- Dans la zone *A:* , la zone où apparaît le nom du destinataire du message, entrez les premières lettres du nom.

- Cliquez sur le bouton *Vérifier les noms* (l'icône avec un petit V). Le programme de messagerie recherche dans le carnet d'adresses un nom contenant les caractères introduits.

- S'il trouve un seul nom, la zone *A:* est automatiquement complétée par ce nom. Si le logiciel trouve plusieurs noms commençant par ces lettres, la liste des noms en question est affichée. A vous de sélectionner le bon. Si le logiciel ne trouve rien. Pas de bol, il va falloir que vous cherchiez vous-même.

✓ *Bogues et autres problèmes*

➤ *Question :*

Il existe plusieurs logiciels de messagerie électronique, chacun souffre de problèmes qui lui sont propres. Impossible pour moi de traiter tous ces logiciels. Que faire pour obtenir davantage d'informations à ce sujet ?

➤ *Réponse :*

Chaque logiciel bénéficie d'un service technique qui répond sur le Web à la plupart des questions classiques :

Support Eudora :

http://www.eudora.com/techsupport/

Support Microsoft Outlook et Outlook Express :

http://support.microsoft.com/support/

Support Netscape Messenger :

http://help.netscape.com

Le support de Microsoft exige cependant que vous vous enregistriez auprès de Microsoft. Ils veulent bien donner leur produit mais en définitive ce n'est pas pour rien. En outre, l'accès au support technique vous sera refusé si vous refusez d'accepter les cookies made in Microsoft. Respect de la vie privée, disiez-vous ?

✓ *Où trouver les logiciels ?*

➤ *Question :*

On le sait, quelques grands logiciels de messagerie électronique se sont imposés. Ce n'est pas pour autant que ce sont ceux qui vous conviennent le mieux. N'existe-t-il pas d'autres outils aussi performants ou ajoutant de nouvelles fonctions aux logiciels existants ?

➤ *Réponse :*

Affirmatif. Je vous invite d'ailleurs à faire un tour sur le site de C/Net à l'adresse http://www.download.com. Si vous êtes un adepte du Mac, cliquez directement sur *Go to Mac.* Vous déboucherez sur une page identique à celle valable pour les PC. Simplement les produits proposés seront valables pour le Mac en lieu et place du PC. Dans les deux cas, sélectionnez la page *Category,* puis les pages

Internet et *Email.* Pour le PC, vous constaterez avec plaisir qu'il existe près de 300 logiciels de tout type concernant la messagerie électronique. Que font-ils ? Certains sont des navigateurs, d'autres ont une fonction plus précise telle que le téléchargement des en-têtes des messages ou la lutte contre le Spam, d'autres encore ajoutent des fonctionnalités aux logiciels vedettes. Je pense notamment à ce module qui autorise Internet Mail et News à gérer plusieurs comptes.

Les adeptes du Mac trouveront environ 75 logiciels de même type.

En général , il s'agit de sharewares ou de freewares. Certains produits plus professionnels sont disponibles en version démo.

Chapitre 6

Le téléchargement

❑ INTRODUCTION

FTP (File Transfer Protocol) n'est autre que le protocole qui régit le transfert de fichiers entre un serveur et l'ordinateur appelant. L'interface qui se donne à voir s'inspire généralement de l'arborescence des disques durs. Le principe de téléchargement y est simple. Sélectionnez un fichier et demandez à votre navigateur ou à un logiciel spécialisé dans le téléchargement FTP de le télécharger. En général, les fichiers sont compressés. Soit ils sont auto-décompactables ; sur PC, ils se terminent alors par les trois petites lettres " exe ". Un double-clic suffit pour qu'ils se décompressent eux-mêmes. Soit ils sont " zippés " avec un utilitaire tel que PKZip ou WinZip que l'on trouve partout en shareware (http://www.winzip.com/).

Ceci étant dit, il est une vérité première pour ce qui concerne le téléchargement : c'est qu'il coûte de l'argent car le temps de connexion nécessaire pour rapatrier de gros fichiers peut être impressionnant (1 heure pour I.E. 4.0). D'où cette mise au point : les fichiers compressés dont le nom se termine par .zip sont destinés au PC. Quant à eux, les fichiers compressés pour Macintosh se terminent généralement par .hqx.

❑ QUELQUES QUESTIONS CLASSIQUES

✓ Logiciel spécialisé ou non ?

Est-il impératif d'utiliser une application FTP (File transfer Protocol) pour télécharger des fichiers ? Les navigateurs ne sont-ils pas capables de faire ce travail ?

➤ *Réponse :*

Il est tout à fait possible de télécharger des fichiers en utilisant votre navigateur, s'il s'agit de Netscape ou de Internet Explorer. Néanmoins, un logiciel tel que WS_FTP, valable autant pour le Mac que pour le PC, permet d'optimiser la vitesse de vos transferts. On le trouve à : http://oak.oakland.edu/ SimTel/win3/winsock/ws_ftp32.zip pour Win95.

✓ *Accéder aux sites FTP*

➤ *Question :*

Evidence, FTP n'est pas HTTP. La syntaxe d'accès est-elle la même pour accéder à un site FTP que celle des sites Web ?

➤ *Réponse :*

Un site FTP commence par ftp:// et non par http://. Du moins, en théorie, car bon nombre de sites voués au chargement disposent aujourd'hui d'une interface plus conviviale de type Web. Un détour par les moteurs de recherche en fait foi. Saisissez FTP dans la fenêtre de saisie de Nomade (http://www.nomade.fr) ou de yahoo (http://www.yahoo.fr). Ils vous renverront vers des sites Web qui recouvrent des sites FTP :

Institut Blaise Pascal (http://www.ibp.fr/)

Université Lumière - Lyon 2 (http://web.univ-lyon2.fr/)

Université Paris 8 (http://helios.cs.univ-paris8.fr)

Internet Team (http://ftpmail.team.fr.eu.org)

CCR de Jussieu (http://web.ccr.jussieu.fr)

Ils possèdent tous des bibliothèques de fichiers téléchargeables.

✓ *FTP : anonyme ou non ?*

➤ *Question :*

Dans certains cas, le serveur FTP vous invite à fournir un nom d'utilisateur et un mot de passe ; dans d'autres cas, ce n'est pas nécessaire. Que faire ?

➤ *Réponse :*

La plupart des sites FTP autorisent l'accès à leur machine sans que vous ayez à montrer patte blanche, en l'occurrence, vous n'avez pas à avoir un compte sur cette machine pour avoir accès à son contenu. Leur contenu est fort diversifié. On y trouve des logiciels, de la documentation technique, des images, etc.

Lorsque vous vous connectez à un site anonyme, il n'est pas rare de le voir vous renvoyer une boîte de dialogue où il faut inscrire un nom d'utilisateur (*user name*) et un mot de passe (*password*). L'usage veut que vous donniez le mot *anonymous* comme nom d'utilisateur et votre adresse e-mail comme mot de passe.

Les serveurs qui ne sont pas anonymes exigent eux un nom d'utilisateur et un mot de passe valides. Ce qui signifie que le tout venant n'y a pas accès. Sans eux, pas moyen d'entrer.

✓ Dans quel répertoire chercher ?

➤ Question :

Un site FTP se présente généralement comme l'arborescence d'un disque dur. Tout y est bien classé, ordonné, propre. Le problème est donc de savoir où chercher.

➤ Réponse :

Si vous visitez en touriste sans savoir ce que vous cherchez, ruez-vous directement vers le répertoire PUB, c'est là que sont placés tous les fichiers d'un intérêt général quelconque.

✓ *Sur quel site chercher ?*

➤ *Question :*

Des dizaines de sites FTP proposant des milliers de documents. Par où commencer la recherche ?

➤ *Réponse :*

Il existe un outil extraordinaire facilitant la recherche des documents sur les sites FTP. Il se prénomme Archie. Il s'agit d'un annuaire électronique qui répertorie les fichiers et répertoires disponibles sur certains des plus gros sites FTP. Très gros, très demandé, et donc victime de son succès, Archie a été cloné en plusieurs endroits de la planète (voir la liste en Annexe). On peut le contacter par Telnet, mais ceci implique la connaissance des commandes permettant d'effectuer les recherches, ou par le Web, ce qui est bien plus simple. Une page Web y donne accès : http://www.ucc.ie/cgi-bin/archie.

Mais même Archie ne peut vous donner ce que vous cherchez si vous ne savez pas ce que vous cherchez. Il dispose de plus de 2 millions d'entrées, ce qui n'empêche que vous avez tout intérêt à connaître le nom précis du fichier afin d'aboutir. Ce sera donc à vous de saisir un mot significatif dans la case de saisie.

✓ Impossible d'entrer sur un site FTP

➤ Question :

Vous essayez de vous connecter sur un site FTP, mais un message vous indique que la connexion vous a été refusée sous prétexte que mozilla@ n'est pas un mot de passe valide (cas de Netscape) ou plus lapidairement que le site ne peut être ouvert (Internet Explorer).

➤ Réponse :

Le site en question (ex. ftp://ftp.sri.ucl.ac.be/pub/) n'admet pas le mot de passe par défaut que lui donne Netscape ou I.E. 4.0. Résultat, il faut changer de méthode. Modifiez l'adresse en ajoutant anonymous@ (ex. ftp://anonymous@ftp.sri.ucl. ac.be/pub/), le serveur FTP vous demandera un mot de passe. Donnez votre adresse e-mail et validez. En général, ça passe.

✓ *Impossible d'accéder au serveur FTP à l'heure de pointe*

➤ *Question :*

Il est 19 h. 00 et vous essayez vainement de vous connecter au site FTP de Microsoft pour télécharger la nouvelle version d'Internet Explorer 2001. Que faire ?

➤ *Réponse :*

Vous êtes trop nombreux à vouloir accéder au serveur FTP en même temps. Un serveur FTP n'accepte généralement qu'un nombre limité d'accès (une dizaine ou une centaine). Il faut attendre le moment creux pour trouver le passage de souris qui libérera un canal de téléchargement à votre profit. Comme il n'y a pas de gestion de file d'attente, il suffit qu'une deuxième tentative aboutisse alors que deux mille surfeurs cherchent à faire la même chose que vous sans succès.

Il est difficile de lutter contre les heures de pointe, par contre, lorsqu'un constructeur sait qu'il devra faire fasse à une ruée sur son site (genre Netscape ou Microsoft ou la Nasa), il met en place des sites miroirs qui reprennent le contenu. L'atterrissage de Mars Explorer le 4 juillet 1997 sur Mars a provoqué un véritable raz-de-marée. Heureusement, la Nasa avait prévu cet engouement, des sites miroirs (web) pouvaient accueillir jusqu'à 100 millions de connexions par jour.

✓ *Internet Explorer et son information étendue*

➤ *Question :*

On croirait presque un gag. Dans certains cas, Internet Explorer vous renvoie un message où il est question d'un serveur qui aurait " retourné une information étendue ". Pour être explicite, c'est explicite !

➤ *Réponse :*

La traduction de ce message tarabiscoté est toute simple. Le serveur auquel vous essayez de vous connecter a atteint son quota d'utilisateurs. Patientez et réessayez à un autre moment.

✓ *FTP à coût réduit*

➤ *Question :*

Débusquer des utilitaires, des logiciels, puis les rapatrier sur votre PC, telle est la règle. Mais une connexion FTP avec les Etats-Unis, l'Angleterre ou la Belgique ne vaudra jamais une connexion directe avec le fournisseur d'accès. Dès lors, est-il possible de faire en sorte que le serveur FTP envoie la demande de téléchargement au serveur de votre fournisseur d'accès ? La connexion serait bien plus rapide.

➤ *Réponse :*

Ce serait pas mal. Mais il faut que le fournisseur d'accès marque son accord. Dans l'absolu, cela n'a rien d'impossible. En pratique, c'est loin d'être une évidence. Une première solution est de passer par une société spécialisée (en l'occurrence, RemComp SARL (http://www.remcomp.com/why_uucp.html)) qui, moyennant le paiement d'une somme mensuelle, propose une boîte aux lettres sur le serveur Libernet EMNA. Il suffit d'envoyer la commande des fichiers désirés. RemComp s'occupe par la suite de transférer le courrier, les News et les fichiers FTP demandés sur la boîte aux lettres.

L'autre solution, que je trouve encore préférable, est d'utiliser un logiciel tel que AutoWinNet (http://cgi.teaser.fr/cgi-bin/telecgi?FF/tele/ pc/communication).

Pendant la journée, vous visitez le site FTP, vous indiquez les fichiers désirés et vous vous déconnectez. Durant la nuit, AutoWinNet rapatrie tout à coût réduit.

✓ Téléchargement trop lent

➤ Question :

Votre modem est capable de travailler à 33 600 bps et votre port série (la fameuse UART) l'autorise également. Malgré cela, vous ne parvenez pas à 2 800 cps.

➤ Réponse :

Tout est dit dans l'énoncé du problème. Il est classique de confondre bps (bits par seconde) et cps (caractères par seconde). La majorité des sites FTP affichent la vitesse de transfert des fichiers en octets ou en caractères par seconde. Or, 2 800 caractères cela représente une vitesse 10 fois plus élevée en bps. Simplement parce qu'il faut 8 bits pour coder le caractère auquel il convient d'ajouter 1 bit de début, 1 bit d'arrêt. Vous travaillez donc en 28 000 bps. Ceci étant, même à 28 000 bps, le téléchargement d'un monstre de 10 Mo prend un temps certain. 50 minutes pour être précis, et ce dans le meilleur des cas. Chose assez rare.

✓ FTPmail : qu'est-ce ?

➤ Question :

Vous avez entendu dire qu'il était possible de télécharger les fichiers des sites FTP (File transfer Protocol) en utilisant un logiciel de messagerie (E-mail). Comment faire ?

➤ Réponse :

La solution existe même si elle est compliquée à mettre en œuvre. Il vous faut :

• connaître le nom exact du fichier à télécharger ;

• connaître le répertoire et le serveur où il est stocké ;

• envoyer un courrier (E-mail) au serveur FTPmail que vous aurez choisi en insérant des commandes bien précises dans le corps du message ;

• attendre que le fichier cherché arrive.

Reprenons. Il existe de nombreux serveurs FTPmail ;

voici l'adresse e-mail des plus fréquentés :

Grande-Bretagne	ftpmail@doc.ic.ac.uk
France	ftpmail@grasp.insa-lyon.fr
Allemagne	ftpmail@ftp.unl-stuttgart.de
USA	ftpmail@sunsite.unc.edu
USA	ftpmail@ftp.uu.net
USA	ftpmail@decwrl.dec.com

Saisissez l'adresse du serveur ftpmail comme destinataire du message.

A : ftpmail@grasp.insa-lyon.fr

Sujet : FTPmail

Saisissez le corps du message en y insérant les commandes suivantes:

reply-to <ajoutez votre adresse Internet >

connect <ajoutez l'adresse du site ftp>

<indiquez le mode de transfert>

chdir <inscrivez le nom du répertoire où se trouve le fichier>

get <tapez le nom du fichier à télécharger>

quit

En pratique, ça donne ceci :

reply-to bielu@usa.net

connect ftp.adtran.com

chdir pub/techsupport/tecnote/ISDN/

binary

get o-isdn.pdf

quit

Dans cet exemple, nous avons demandé au serveur de télécharger le fichier o-isdn.pdf (une documentation technique sur RNIS) dont le chemin d'accès complet est ftp://ftp.adtran.com/pub/techsupport/tecnote/ISDN/o-isdn.pdf

Envoyez votre courrier et attendez la confirmation. Elle est rarement immédiate.

A peu de choses près, le message en retour ressemblera à ceci :

ftpmail has received the following job from you:
reply-to bielu@usa.net
open ftp.adtran.com anonymous bielu@usa.net
cd pub/techsupport/tecnote/ISDN/
binary
get o-isdn.pdf

ftpmail has queued your job as: 9843231178.25066
Your priority is 9 (0 = highest, 9 = lowest)
Requests to grasp.insa-lyon.fr will be done before other jobs.
There are 142 jobs ahead of this one in the queue.
4 ftpmail handlers available.

Ma demande avait la priorité la plus basse et 142 autres demandes la précédaient. La réponse à cet essai a mis dix jours. La patience s'impose donc. Ce système n'est pas des plus adéquats.

Si vous vous obstinez, demandez de l'aide au site FTP auquel vous désirez vous adresser. Mettez simplement help dans le corps du message.

En retour, vous recevrez la liste complète des instructions propres à ce service, comme, par exemple, la commande vous permettant de recevoir les noms des répertoires présents sur le serveur, ainsi que les fichiers qu'ils contiennent.

Chapitre 7

Listes de diffusion/groupe de discussion/IRC et le reste

❏ LES LISTES DE DIFFUSION

Le principe des listes de diffusion (mailing list en anglais) est simple puisque qu'elles fonctionnent sur le même principe que l'e-mail, à la nuance près que le destinataire de vos messages n'est pas un seul correspondant mais bien tous les participants au débat auquel vous vous êtes abonné. De même, vous recevrez les contributions des autres abonnés à la liste.

✓ *S'inscrire*

Guère plus compliqué qu'envoyer un e-mail, les listes de diffusion impliquent que vous vous inscriviez au débat. Votre inscription peut être traitée par un humain, auquel cas le français (ou l'anglais) suffit amplement ; elle peut également être traitée par une machine. Il faut dès lors s'adapter à son langage. L'inscription obéit dans ce cas à une rigueur sans souplesse. Tout dépend du programme qui gérera la liste de diffusion. Les six principaux sont :

Almanac, Listproc, Listserv, Mailbase, Mailserv et Majordomo.

Selon le programme, la syntaxe d'inscription et celle de désabonnement diffère quelque peu.

1. L'adresse

A qui envoyer l'inscription ? Le destinataire du message e-mail que vous devrez envoyer pour vous abonner sera :

almanac@adresse_de_la_liste
listproc@adresse_de_la_liste
listserv@adresse_de_la_liste
mailbase@adresse_de_la_liste
mailserv@adresse_de_la_liste
majordomo@adresse_de_la_liste

La bonne question est bien entendu de savoir quel programme tourne derrière. L'université de Rennes tient une liste des listes francophones (http://www.univ-rennes1.fr/listes/). Les listes sont commentées et les messages d'inscription néces-saires les accompagnent.

2. Le corps du message

Pour vous inscrire, vous devrez saisir une com-mande dans le corps du message, pas dans le sujet, celui-ci peut rester vierge.

Le message sera

Pour Almanac : subscribe nom_de_la_liste
Pour Listproc : sub nom_de_la_liste
Pour Listserv : sub nom_de_la_liste
Pour Mailbase : join nom_de_la_liste
Pour Mailserv : subscribe nom_de_la_liste
Pour Majordomo : subscribe nom_de_la_liste

Pour se désabonner, le corps du message devra varier quelque peu :

Pour Almanac : unsubscribe nom_de_la_liste

Pour Listproc : uns nom_de_la_liste

Pour Listserv : signoff nom_de_la_liste

Pour Mailbase : leave nom_de_la_liste

Pour Mailserv : unsubscribe nom_de_la_liste

Pour Majordomo : unsubscribe nom_de_la_liste

Si vous n'êtes pas sûr de la syntaxe utilisée par le logiciel, saisissez simplement help dans le corps du message. En retour vous aurez la liste complète des commandes et de leur syntaxe.

3. Modérée, non modérée

Comme dans tout débat, une liste peut être modérée – un humain joue alors les censeurs – ou ne pas l'être. C'est parfois la foire d'empoigne. Dans ce dernier cas, aucun texte, même les pires, ne passera à la trappe. Le modérateur peut juger que vos textes sortent du cadre du sujet ou ne respectent pas l'éthique du site, il se charge donc de ne pas les transmettre ou, lorsqu'il a le temps, de traduire vos propos en langage plus civil.

✓ Quelques questions typiques

Trop de messages

➤ Question :

Le degré d'activité des membres de la liste varie d'une liste à l'autre. Attention : certaines listes sont très actives. Plusieurs dizaines de messages quotidiens ne sont pas rares.

➤ Réponse :

Dans ce cas, faites savoir au gestionnaire de la liste que vous désirez ne recevoir qu'un résumé des messages. Si c'est un logiciel qui gère la liste, la commande à lui envoyer figure généralement dans le premier message reçu.

Liste de listes

➤ Question :

A part l'université de Rennes, où trouver des listes de listes de diffusion ainsi que leur signification ?

➤ Réponse :

Envoyez un e-mail à listserv@bitnic.educom.edu. Dans le corps du message, saisissez la list.global. En retour, vous recevrez l'adresse d'une centaine de listes de diffusion. Attention, listserv est un logiciel, il traite le corps de votre message comme une commande, n'oubliez donc pas de désactiver votre signature avant toute utilisation d'une de ces listes.

Quelques adresses sur le Web :

CataList : http://www.lsoft.com/lists/listref.html

Tile.net : http://www.tile.net/tile/listserv/index.html

Liszt : http://www.liszt.com

PAML : http://www.neosoft.com

L'interface Web permet de mieux s'y retrouver. Ceci ne veut pas dire pour autant que les listes de diffusion proposées sont extrêmement explicites.

❑ LES NEWSGROUPS

Autres grands services sur Internet, les Newsgroups ou groupes de discussion sont de véritables forums où les gens communiquent de manière différée. Pour avoir accès à tout ou partie des quelque dizaines de milliers de groupes de discussion, il vous faut un programme spécifique. Outlook Express, Netscape Messenger, MacSoup (http://www.inx.de/~stk/macsoup.html) ou autre Free Agent (http://www.forteinc.com/forte/).

La configuration de ce programme est en tout point semblable à un logiciel de messagerie électronique. Sa singularité est de passer par un serveur de News (NNTP : Network News Transfert Protocol). Dans 80% des cas, son nom est le même que celui de votre serveur de messagerie (POP3), à une nuance près. Au lieu, de s'appeler mail.imagi net.fr, il s'appellera sans doute news.imaginet.fr.

Les groupes de discussion sont rassemblés au sein d'un réseau dénommé Usenet. Pour en savoir plus, lisez la Foire aux questions (FAQ), elle regorge de bonnes pistes. L'adresse : http://www.cis.ohio-state.edu/ hypertext/faq/usenet/top.html

✓ Quelques questions typiques

Téléphone local ou international ?

➤ *Question :*

Vous avez trouvé une liste de groupes de discussion et la liste qui vous intéresse semble être basée au Canada. Allez-vous payer une communication avec le Canada ?

➤ *Réponse :*

L'origine géographique des groupes de discussion n'a pas d'importance. Pas plus que celle d'un site Web. Pour y accéder, la seule chose dont vous avez besoin, c'est d'une connexion avec votre fournisseur d'accès et donc d'une communication téléphonique en local.

Accès à quelques groupes mais pas à tous

➤ *Question :*

Vous avez lu la presse. Un groupe de discussion vous intéresse. Vous le cherchez sur le serveur de votre fournisseur d'accès. Il n'y est pas. Que faire ?

➤ *Réponse :*

C'est le problème le plus fréquent. Il existe plusieurs dizaines de milliers de groupes de discussion et rares sont les fournisseurs d'accès à donner un accès à tous ces groupes. Les raisons sont multiples mais l'une d'entre elles est sans doute liée aux différentes affaires sur la sexualité qui ont défrayé la chronique ces deux dernières années. A un moment, certains fournisseurs d'accès avaient carrément supprimé tout accès aux groupes de discussion.

Il existe bien quelques groupes de discussion dont l'accès se fait par le Web, mais ce n'est pas la panacée. Le meilleur moyen de dénicher ces groupes de discussion publics est de passer par un moteur de recherche et de simplement saisir le mot Newsgroup. Il existe également des serveurs de newsgroups d'accès public. C'est-à-dire des serveurs qui ouvrent leur accès à n'importe quel surfeur et sur lesquels repose peut-être le groupe dont vous êtes privé. Une adresse rassemble une liste de serveurs Usenet d'accès public : http://www.geocities.com/SiliconValley/Pines/3959/usenet.html.

Il vous restera à fouiller pour trouver un serveur qui vous agrée.

Un serveur tel que news://news.caribsurf.com/ regroupe près de 44.000 groupes de discussion. Une paille ! Vous pourrez lire les news et poster vos remarques et vos questions.

Interdit d'accès

➤ Question :

Vous essayez de vous connecter aux groupes de discussion supportés par votre fournisseur d'accès, mais vous recevez systématiquement un message d'erreur 403.

➤ Réponse :

Le message d'erreur 403 signifie l'interdiction d'accès à un service, en l'occurrence les news-groups. Pour savoir de quoi il retourne, vérifiez un à un tous les paramètres de configuration. Non seulement l'adresse du serveur de News, mais aussi tous les autres : adresse E-mail, Serveur courrier, etc. Ces informations sont vérifiées par le serveur au moment de la connexion aux Newsgroups. Si toutes ces données sont correcte-ment fournies, appelez votre fournisseur d'accès afin d'opérer une vérification systématique. Il a des outils que vous n'avez pas.

Abréviations absconses

➤ Question :

Des Alt, des Aus, des binary. Voilà la seule solution qu'ils ont trouvée pour identifier les newsgroups ? Comment en savoir plus ?

➤ Réponse :

Bon nombre de newsgroups ont un nom relative-ment significatif. On suspecte rapidement qu'un groupe de discussion appelé fr.announce.divers ne cache rien d'autre que le fait que le groupe de discussion en question traite de diverses petites annonces en français. Par contre, force est de reconnaître que Alt.2600 laisse sceptique. La meilleure manière de procéder est de se brancher sur un moteur de recherche tel que Dejanews (http://www.dejanews.com/). Il est entièrement dédié aux newsgroups et permet une investigation par mots clés.

Anonymat garanti

➤ *Question :*

Il est parfois nécessaire de conserver l'anonymat dans un groupe de discussion. C'est même conseillé au début car vous ne savez jamais vraiment sur qui vous allez tomber. Comment faire pour recevoir les réponses aux messages postés dans un groupe sans mentionner de boîte aux lettres ?

➤ *Réponse :*

La méthode est de donner l'adresse du groupe de discussion comme adresse e-mail de réponse. Les réponses seront simplement attachées à votre question. Il suffira alors de rendre visite régulièrement à ce groupe pour vérifier si des réponses sont arrivées.

❏ L'IRC

IRC : où en trouver ?

➤ *Question :*

L'IRC, c'est la possibilité de discuter sur Internet en temps réel. Une carte son, des haut-parleurs, un micro et, même, une caméra vidéo, et vous voilà en connexion avec l'autre bout du monde alors que vous ne payez qu'une communication locale. Où obtenir les applications IRC (Internet Relay Chat) nécessaires ? Comment en savoir plus ?

➤ *Réponse :*

- Tous les renseignements nécessaires se trouvent sur les pages d'informations que Yahoo consacre à l'IRC (http://www.yahoo.com/ Computers_and_Internet/Internet/Chat/IRC/).

- Un autre site reprend les questions les plus fréquemment posées sur ce sujet à l'adresse http://www.cis.ohio-state.edu/hypertext/ faq/usenet/ irc/undernet-faq/top.html.

- Une autre adresse très riche en fichiers d'aide sur l'IRC : http://www.irchelp.org/

Précaution élémentaire

➤ *Question :*

Lorsque vous entrez en contact avec des personnes par le canal de l'IRC, on pourrait vous inviter à taper des termes dont le sens et la syntaxe vous échappent. Y a-t-il un risque quelconque ?

➤ *Réponse :*

Il existe effectivement un risque que l'on se serve de votre ignorance pour jouer au cheval de Troie. En clair, il s'agit de mots cryptés dont certains peuvent être des commandes. Avec l'IRC II, l'une de ces commandes cryptées permet à votre correspondant de prendre le contrôle de votre accès IRC. De là, il peut altérer votre environnement de travail. Prudence donc. Ne tapez jamais rien dont vous ne connaissiez le sens.

Annexes

Annexe 1 : les commandes Hayes

A : Connexion en mode réponse manuelle.

B0 : définition automatique du mode de transmission.

B2 : choix du mode V23.

B8 : choix du mode v22bis.

B9 : choix du mode V32 à 9600 bps ou V32bis à 9600 bps au lieu de 14400 bps.

B10 : choix du mode v32bis à 14400 bps.

B18 : définition automatique de la vitesse sachant que le mode de transmission sera V32 (de 4800 bps à 9600 bps).

B19 : définition automatique de la vitesse sachant que le mode de transmission sera V32bis (de 4800 bps à 14400 bps).

B20 : définition automatique de la vitesse sachant que le mode de transmission sera V34 (de 14400 bps à 28800 bps).

B21 : définition automatique de la vitesse sachant que le mode de transmission sera VFC (de 14400 bps à 28800 bps).

DL : refait le dernier numéro formé.

DP : impose la numérotation en décimale. DP doit être suivi d'un numéro de téléphone.

DT : impose la numérotation en fréquences vocales. DT doit être suivi d'un numéro de téléphone (ex : ATDT 138273838, la ligne est ouverte, le modem compose le 138273838 et attend la porteuse).

E0 : pas d'écho des caractères.

E1 : écho local des caractères saisis au clavier.

H0 : permet de raccrocher la ligne.

I : renvoie des informations sur le type de modem. Ex. : ATI3, ATI4.

L0 : fixe le volume sonore du haut-parleur du modem au niveau le plus bas.

L1 : fixe le volume sonore du haut-parleur du modem à un niveau faible.

L2 : fixe le volume sonore du haut-parleur du modem à un niveau moyen.

L3 : fixe le volume sonore du haut-parleur du modem au niveau maximum.

M0 : désactive le haut-parleur.

M1 : active le haut-parleur jusqu'à ce que la connexion soit établie, désactive le haut-parleur pour la suite.

M2 : active le haut-parleur de manière permanente.

M3 : active le haut-parleur pendant la transmission sauf durant la numérotation.

O : permet le retour en mode communication après un échappement par +++.

Q0 : impose l'émission des messages d'état (ring, OK, connect, ...).

Q1 : désactive l'émission des messages d'état (ring, OK, connect, ...).

S : définit la valeur des registres. Syntaxe : Sn=# (quelques registres communément utilisés).

S0 : la sonnerie est sur ON.

S1 : décroche après # sonnerie. ATS1=3 signifie que le modem décroche après 3 sonneries.

S8 : fixe la valeur en secondes de la virgule, laquelle permet de marquer une pause.

S9 fixe la durée de détection de la porteuse en dixièmes de seconde.

S10 : fixe en dixièmes de seconde la durée pendant laquelle le modem accepte de perdre la porteuse.

S25 : fixe en centièmes de seconde la durée pendant laquelle le DTR peut être sur OFF avant de provoquer la déconnexion.

V0 : les messages sont émis sous forme numérique.

V1 : les messages sont émis sous forme littérale.

V4 : les messages sont émis sous forme littérale et détaillée.

V5 : les messages sont émis sous forme littérale et numérique.

X0 : le modem envoie seulement les messages OK, Connect, Ring, No Carrier.

&C0 : force le signal Carrier Detect.

&C1 : Signal Carrier Detect en fonctionnement normal.

&D0 : ignore les injonctions provenant du signal DTR (uniquement si S25=30 ne fonctionne toujours pas).

&D1 : si la baisse du signal est trop importante, le modem revient en mode commande .

&D2 : si la baisse du signal est trop importante, le modem se déconnecte.

&D3 : si la baisse du signal est trop importante, cela provoque un reset modem NB.

&f : provoque l'initialisation du modem en fonction des paramètres de l'usine (n*0).

&f1 : provoque l'initialisation du modem en fonction d'autres paramètres de l'usine pour une vitesse rapide (n*1).

&K0 : désactive le contrôle de flux.

&K3 : force le contrôle de flux matériel RTS + CTS.

&k4 : force le contrôle de flux logiciel Xon + Xoff.

&k6 : force le contrôle de flux matériel (RTS/CTS) et logiciel Xon + Xoff.

&Q0 : impose une transmission directe des données. La vitesse du port série (DTE) doit être égale à DCE.

&Q5 : impose une transmission asynchrone. Les tampons FIFO sont utilisés de même que la correction d'erreurs (V42) et la compression de données (V42bis). La vitesse du port série (DTE) doit être quatre fois supérieure à DCE.

&Q6 : impose une transmission asynchrone. Les tampons FIFO sont utilisés. Pas de correction d'erreurs (V42), pas de compression de données (V42bis).

&S0 : force le signal DSR.

&S1 : impose le fonctionnement normal du signal DSR.

&V : permet de visualiser la configuration du modem et des registres. La commande AT&F&V renvoie la configuration par défaut de ce dernier (note : tous les modems n'utilisent pas cette commande. Les USR utilisent AT$).

Annexe 2 : les avis CCITT

Avis	vitesse supportée
V23	75/1200 bps en appel ou 1200/75 bps en réponse
V21	300/300 bps
V22	1200/1200 bps
V22bis	2400/2400 bps
V32	9600/9600 bps
V32bis	14400/14000 bps
v34	28800/28800 bps
VFC	28800/28800 bps

V27ter	4800/4800 bps	télécopie vitesse normale
V29	9600/9600 bps	télécopie vitesse rapide
V42		protocole de correction d'erreurs
V42bis		protocole de compression de données

Au passage, notez que le VFC n'est pas une norme CCITT.

Annexe 3 : les principaux plug-ins

Plug-in	Utilisation	Adresse de téléchargement
3D et Animation		
Shockwave	visualisation d'animations créées avec Director	http://www.macromedia.com/Tools/Shockwave/index.html
Live3D	visualisation des applications VRML	http://home.netscape.com/comprod/products/navigator/live3d/download_live3d.html
Cosmo Player	la visualisation des objets VRML 2.0	http://webspace.sgi.com/cosmoplayer/
FutureSplash	Visualisation d'images et d'animations vectorisées et donc très rapides	http://www.futurewave.com/
Audio et vidéo		
Quick Time	lecture des vidéos et des fichiers MIDI	http://quicktime.apple.com/
Real Audio	le son en direct	http://www.realaudio.com/products/player/index.html
Real Player	le son et la vidéo en direct	http://www.real.com
Live Audio	le son en direct	
Live Video	la visualisation des fichiers vidéo AVI	
Netscape Media Player	fichiers son	http://home.netscape.com/comprod/mirror/media/download_mplayer.html
Beatnik	fichiers son	http://www.headspace.com/beatnik/index.html

Utilitaires et bureautique

Acrobat Amber	lecture des fichiers Acrobat	http://www.adobe.com/Amber/
Carbon Copy/Net	Permet de prendre le contrôle d'un ordinateur par l'intermédiaire de l'Internet	http://www.microcom.com/cc/ccdnload.htm
Envoy	Un concurrent d'Acrobat Amber pour la visualisation de documents au format Envoy	http://www.twcorp.com/envoy.htm
PowerPoint Animation Player (plug-in et contrôle ActiveX)	Visualisation d'animation PowerPoint	http://www.microsoft.com/powerpoint/internet/player
Word Viewer	Visualisation de documents Word 6 et 7	http://www.inso.com/plug.htm
NetZip	zippe et dézippe des fichiers dans la fenêtre du navigateur	http://www.softwarebuilders.com

Internet

WebTurbo	affiche le plan des sites et permet donc un gain de temps pour la visite	http://webturbo.com/admin/webturbo20ie.exe

Annexe 4 : les codes d'erreur

Voici quelques-uns des codes d'erreur les plus fréquemment rencontrés sur Internet. La palme revient évidemment à l'erreur 404 qui signifie que la page n'a pas été trouvée sur le serveur.

301 définitivement déplacé

302 momentanément déplacé

400 mauvaise requête

401 accès non autorisé

402 accès payant

403 accès interdit

404 page introuvable

407 authentification auprès du serveur proxy exigée

500 erreur du serveur

501 programme manquant

502 mauvaise passerelle

503 service indisponible

505 version HTTP non reconnue

Annexe 5 : quelques sites FTP

Quelques sites FTP mailserver

ftpmail@ftpmail.ramona.vix.com

ftpmail@cs.uow.edu.au

ftpmail@ftp.uni-stuttgart.de

ftpmail@doc.ic.ac.uk

ftpmail@ieunet.ie

ftpmail@sunsite.unc.edu

ftpmail@win.net

ftpmail@grasp.insa-lyon.fr

ftpmail@ftp.unl-stuttgart.de

ftpmail@ftp.uu.net

ftpmail@decwrl.dec.com

Quelques sites FTP où trouver des programmes pour Windows

ftp://ftp.cica.indiana.edu/pc/win3/winsock/

ftp://papa.indstate.edu/winsock-l/

ftp://ftp.surfnet.nl/mirror-archive/software/win-sock/

Quelques sites miroirs d'Archie

Japon : telnet://archie.wide.ad.jp

Taiwan : telnet://archie.ncu.edu.tw

Australie : telnet://archie.au

Autriche : telnet://archie.univie.ac.at

Belgique : telnet://archie.belnet.be

France : telnet://archie.univ-rennes1.fr

Allemagne : telnet://archie.th-darmstadt.de

Italie : telnet://archie.unipi.it

Espagne : telnet://archie.rediris.es

G-B : telnet://archie.hensa.ac.uk

G-B : telnet://archie.doc.ic.ac.uk

Canada : telnet://archie.cs.mcgill.ca

Canada : telnet://archie.bunyip.com

USA : telnet://archie.sura.net

USA : telnet://archie.unl.edu

USA : telnet://archie.internic.net

USA : telnet://archie.rutgers.edu

USA : telnet://archie.ans.net

Index

Table
des matières

**Chapitre 3 : les principaux problèmes
de connexion avec votre fournisseur
d'accès et Internet** 81

1154

IMP. BUSSIÈRE, SAINT-AMAND (CHER). — Nᵒ 591.
D. L. MARS 1998/0099/115
ISBN 2-501-03023-0
Imprimé en France